GAMBER · DAS PATRIARCHAT AQUILEJA

STUDIA PATRISTICA ET LITURGICA
quae edidit Institutum Liturgicum Ratisbonense
Fasc. 17

KLAUS GAMBER

DAS PATRIARCHAT AQUILEJA

und die bairische Kirche

Gesammelte Studien

KOMMISSIONSVERLAG FRIEDRICH PUSTET
REGENSBURG

© 1987 Friedrich Pustet Regensburg
Gesamtherstellung Friedrich Pustet
Printed in Germany
ISBN 3-7917-1110-5

Vorwort

Mit dieser Publikation werden meine Studien zur Frühgeschichte Bayerns und vor allem der Diözese Regensburg unter dem Gesichtspunkt der Liturgiegeschichte fortgesetzt und zugleich abgeschlossen. Vorausgingen die Faszikel 8 (Ecclesia Reginensis) und 11 (Sarmannina) der Reihe »Studia patristica et liturgica«. Etwa die Hälfte der Artikel in diesem neuen Bändchen ist bereits früher veröffentlicht worden (Quellenangabe umseitig in der Inhaltsübersicht), die übrigen Artikel sind neu. Kleinere Wiederholungen, die wegen des Zusammenhangs notwendig waren, möge der Leser bitte entschuldigen.

Die Regensburger Liturgiegeschichte behandeln auch die Faszikel 12 (Bonifatius-Meßbuch), 14 (Cantiones Germanicae) und 15 (Wolfgang-Sakramentar) der Reihe »Textus patristici et liturgici«.

An Material bzw. Themen zu weiteren Arbeiten auf diesem Gebiet mangelt es nicht, doch damit mögen sich nun jüngere Forscher beschäftigen. Vor allem denke ich hier an Doktoranden, die sich durch die Edition liturgischer Handschriften bzw. Fragmente von solchen aus Regensburg und Bayern bleibende Verdienste erwerben könnten.

Entsprechende bisher noch nicht edierte Handschriften sind in meinem 2-bändigen Werk »Codices liturgici latini antiquiores« (Freiburg/Schweiz ²1968) aufgeführt, zu dem noch in diesem Jahr ein Ergänzungsband erscheinen wird. Fragmente liturgischer Handschriften befinden sich in großer Zahl in der Bischöflichen Zentralbibliothek Regensburg.

Besonders dringend erscheint mir eine Edition des »Ritus majoris ecclesiae Ratisbonensis«, eines Regensburger Dom-Caeremoniale aus dem Jahr 1571, zu sein (Proske-Bibliothek, Cod. 3*).

Am Fest der Epiphanie 1987   Klaus Gamber

Inhalt

Einleitung

Das 6./7. Jahrhundert ist für die bairische Geschichtsschreibung schon immer eine dunkle Zeit gewesen und wird es wohl auch weiterhin bleiben. Nur wenige Persönlichkeiten sind es, die aus diesem Dunkel in das Licht der Geschichte treten, unter ihnen die Prinzessin Theodolinde aus Regensburg, die Tochter des Baiernherzogs Garibald. Sie heiratete im Jahre 589 den Langobardenkönig Authari und zog mit ihm nach dessen Residenz in Monza. Während Authari Arianer war, gehörte Theodolinde dem katholischen Glauben an. Um das Jahr 600 stand sie in Briefwechsel mit Papst Gregor dem Großen.

In der Zeit vor der Baiern-Prinzessin, im 5. Jahrhundert, waren die Donauprovinzen weitgehend christianisiert. Diesen Eindruck gewinnt man wenigstens bei der Lektüre der Lebensbeschreibung des hl. Severin, die Eugippius verfaßt hat. Severin ist im Jahr 482 gestorben. Er wirkte hauptsächlich in der römischen Provinz Ufer-Norikum (zwischen Passau und Wien). In jeder größeren Stadt dieser Provinz finden wir damals einen Bischof und mehrere Kirchen mit Priestern und Diakonen sowie kleinen Mönchsgemeinden. Einige Jahre nach dem Tod des hl. Severin wanderte jedoch ein Großteil der romanischen Bevölkerung der Donauprovinzen infolge der Unruhen der Völkerwanderungszeit nach Italien aus.

Die im 6. und 7. Jahrhundert noch immer vorhandenen Reste romanischen Christentums im späteren bairischen Raum wurden, wie auch die wenigstens teilweise zum Glauben bekehrten Baiern mit ihren katholischen Herzögen, Verwandte der Merowinger, nun von der Metropole Aquileja aus seelsorglich betreut, direkt wohl vor allem durch das Bistum Säben (Sabiona) im Eisacktal. So nennt sich noch im Jahr 591 Bischof Ingenuinus von Säben »episcopus secundae Raetiae«, d. h. Bischof von Rätien II, das als römische Provinz die Gebiete südlich der Donau vom Bodensee bis zum Inn umfaßte.

Das Bistum Säben gehörte damals zur Kirchenprovinz Aquileja (vgl. die Karte). Dieser Ort am Nordrand des Adriatischen Meeres (zwischen Venedig und Triest) war im Altertum eine der bedeutendsten Städte Italiens. Als Kirchenprovinz umfaßte Aquileja weite

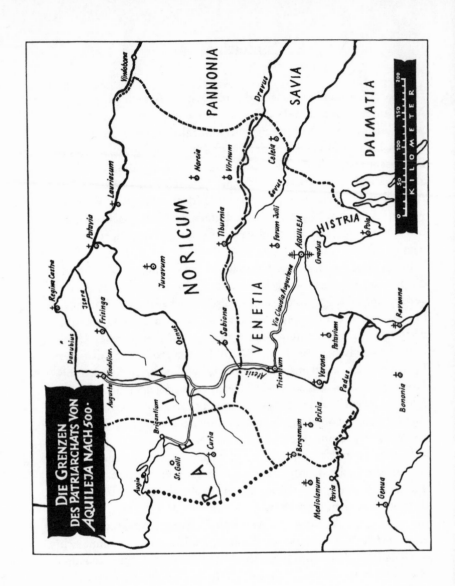

Gebiete Norditaliens, der Alpen und des jetzigen Ungarns, der alten römischen Provinz Pannonien.

Die fränkischen Missionare, die vom Ende des 6. Jahrhunderts an immer wieder nach Baiern und in die Alpengebiete kamen, wurden daher als Eindringlinge betrachtet. Das geht aus einem Schreiben hervor, das die Bischöfe Istriens und Oberitaliens an den oströmischen Kaiser Mauritius (582–602) gerichtet haben und in dem es heißt (MG, Epist. I, 16a):

»Wenn Eure Befehle diese Verwirrung und Bedrängnis nicht beseitigen, so wird keine unserer Gemeinden (den künftigen Bischof) zur Weihe mehr nach Aquileja gehen lassen, wenn einer von uns stirbt. Sie werden vielleicht die benachbarten Bischöfe von Gallien um die Weihe angehen und die Metropole Aquileja ... wird sich auflösen; Aquileja, durch das Ihr mit Gottes Gnade Bistümer (ecclesiae) unter den Heiden besitzt. Schon seit einer Reihe von Jahren haben in drei Kirchen unseres Synodalverbandes (nostri concilii), nämlich in der »ecclesia Breonensi« (Säben), in der »ecclesia Tiburnensi« (Tiburnia oder Teurnia, heute St. Peter im Holz) und in der »ecclesia Augustana« (Aguntum) gallische Bischöfe Priester aufgestellt. Und wäre damals nicht durch einen Machtspruch Kaiser Justinians seligen Angedenkens der Zwist beigelegt worden, so wären beinahe in alle Bistümer unseres Metropolitanverbandes Aquileja von den Galliern geweihte Priester eingedrungen.«

Einige dieser fränkischen Missionare des 7. Jahrhunderts kennen wir mit Namen. Es sind dies die Bischöfe Emmeram, Erhard, Korbinian und Rupert, die gegen Ende dieses bzw. zu Beginn des folgenden Jahrhunderts in Regensburg, Salzburg und Freising gewirkt haben.

Auf die Zeit der Zugehörigkeit Regensburgs zu Säben dürfte die Kassianskirche in der Donaustadt zurückgehen. Der hl. Kassian ist von altersher der Patron von Säben und seit dem 10. Jahrhundert auch der Patron von Brixen, nachdem der Bischofsitz dorthin verlegt worden war. Über das Alter der Regensburger Kassianskirche wissen wir mit Sicherheit nur, daß sie beim großen Brand der Stadt im Jahr 891 unversehrt geblieben ist. Die Anlage des Gotteshauses ist in der späteren Zeit so verändert worden, daß man sich die ursprüngliche Gestalt nur mehr schwer vorstellen kann.

Seit dem Reichstag zu Aachen im Jahr 810 wurde Säben der

Metropolitangewalt des Patriarchen von Aquileja entzogen und wie die bairischen Diözesen Regensburg, Passau und Freising derjenigen des Erzbischofs von Salzburg unterstellt. Die eigentliche Bedeutung Säbens liegt daher früher und zwar noch vor dem Jahr 739, als Bonifatius die bairischen Diözesen kanonisch errichtet hat. Übrigens hat er damals bemerkenswerterweise noch keinen Metropoliten für diese Bistümer aufgestellt, wohl mit Rücksicht auf Aquileja.

In den folgenden Einzeluntersuchungen wird vor allem versucht, von der Liturgieforschung her neue Erkenntnisse für die Frühgeschichte Baierns zu gewinnen, nicht zuletzt auch aufgrund der erhaltenen Liturgiebücher, die als direkte Zeugen der Vergangenheit eine bisher noch kaum beachtete Geschichtsquelle darstellen.

Die kirchlichen und politischen Verhältnisse in den oberen Donauprovinzen zur Zeit Severins

Für die westliche Mittelmeer-Welt ging durch die Völkerwanderung eine lange Periode des Friedens zu Ende. Die »pax romana«, bedingt durch den militärischen Schutz der römischen Legionen am Rhein und an der Donau, hatte diesem Teil des Imperium Romanum mehrere Jahrhunderte hindurch Ruhe und Sicherheit geschenkt. Nur an den genannten Grenzen fanden immer wieder kleine Gefechte statt; dahinter war es ruhig. Als der Westgote Alerich in der Nacht zum 24. August des Jahres 410 – es waren 1163 Jahre nach der Gründung Roms – in die Ewige Stadt einzog, ging ein Schrei des Entsetzens durch das Reich. Drei Tage plünderten die Barbaren, zogen dann aber wieder ab.

Dagegen waren in den nördlichen Grenzprovinzen, so in Noricum, etwa dem heutigen Österreich, sowie in Raetia secunda, dem heutigen Südbayern, Überfälle, Plünderungen und Gewalttätigkeiten an der Tagesordnung. Sie erfolgten durch die jenseits der Donau wohnenden Germanenstämme der Rugier, Heruler, Thüringer und Alemannen. Es ist erschütternd zu lesen, wie sehr die römische und die romanisierte keltische Bevölkerung der Bojer in den genannten Gebieten unter diesen ständigen Überfällen und Raubzügen zu leiden hatte.

Wir sind darüber eingehend unterrichtet durch die Lebensbeschreibung des 482 verstorbenen heiligen Severin. Verfasser dieser »Gedenkschrift« (Commemoratorium) ist Eugippius,[1] der sehr wahrscheinlich aus Norikum stammte und zum Schülerkreis Severins gehört hat.[2] Er starb als Abt des Klosters Lucullanum bei Neapel, wohin die Gebeine des Heiligen später gebracht worden sind.

Severin war um das Jahr 455 als Mönch nach Norikum gekommen, nicht als Glaubensbote, da diese Provinz damals schon weitgehend christlich war,[3] sondern als Helfer in den Bedrängnissen und der Not der damaligen unruhigen Zeit. Vor seiner ehrfurchtgebietenden Patriarchengestalt wurden selbst Barbarenkönige unsicher, sein Seherblick bewahrte die Einwohner immer wieder vor drohendem Unheil, weil sie von ihm noch rechtzeitig gewarnt werden konnten; sein rastloses soziales Wirken verschaffte ihnen in Notzeiten Nahrung und Kleidung. Persönlich bedürfnislos und, wie die alten Wüstenmönche, streng gegen sich selbst, hatte Severin dennoch einen Blick für die Bedürfnisse und irdischen Nöte seiner Mitmenschen, wenn ihm auch vor allem deren Seelenheil am Herzen lag.[4]

1. Sirmium als Metropole von Norikum

Für die Kenntnis der kirchlichen Verhältnisse in den beiden römischen Provinzen Noricum ripense bzw. mediterraneum (Ufer- und Binnen-Norikum) zur Zeit des heiligen Severin, also in der Zeit des Untergangs des weströmischen Reiches, ist die Frage wichtig, zu welcher Metropole Norikum damals gehört hat. Für Raetia II war, wie wir noch sehen werden, eine andere Metropole zuständig.

Bekanntlich sind im römischen Reich in der Zeit nach Kaiser Konstantin d. Gr. staatliche und kirchliche Bezirke weithin zusammengefallen. Staatlicherseits gehörten die beiden norischen Provinzen zur Präfektur Illyricum, die vom Inn im Westen bis nach Griechenland reichte. Der Sitz des Präfekten für das ganze Gebiet befand sich im 4. Jahrhundert in Sirmium (heute Mitrowitza, etwa 180 km westlich von Belgrad an der Save gelegen).[5]

Unter Kaiser Konstantin II. (337–340) war diese größte Stadt Illyriens eine Zeit lang Residenz des kaiserlichen Hofes. Im 4. Jahrhundert wurden hier mehrere kirchliche Synoden abgehalten, die erste 347, die letzte 359. Es ging um Glaubensfragen im Zusammenhang mit der Irrlehre des Arius, die damals in den Donauprovinzen weit verbreitet war.[6]

Im Jahr 441 (oder 442) haben die Hunnen Sirmium eingenommen und teilweise zerstört. Die Ankunft Severins ein paar Jahre später, nämlich um 455, in Ufer-Norikum – er kam, wie es in der Vita des Eugippius heißt (c. 1,1), aus den östlichen Gebieten (de partibus orientis) – könnte mit dem Einfall der Hunnen in die Donauprovinzen zusammenhängen. Möglicherweise kam Severin direkt aus Sirmium.[7]

Diese Metropole war schon früh Sitz eines Bischofs. Nach der Überlieferung wirkten hier Epaenetus, einer der 70 Jünger des Herrn,[8] sowie der Apostelschüler Andronikus (vgl. Röm 16,7). Der

Wahrheitskern dieser Legende dürfte sein, daß vielleicht schon im 1. Jahrhundert Glaubensboten aus dem Osten, vermutlich aus Syrien, nach Sirmium gekommen waren.

Unter Kaiser Diokletian starb hier am 6. April 304 Bischof Irenäus den Martertod.[9] Sein Gedächtnis ist eigens im syrischen Martyrologium verzeichnet, wie es uns in einer im Jahr 411/12 geschriebenen Handschrift vorliegt. Außer Irenäus sind noch drei weitere Blutzeugen aus Sirmium notiert, nämlich Demetrius am 9. April, Secundus am 20. Juli und Basilla am 29. August; was auffällig ist, da dieses syrische Märtyrer-Verzeichnis so gut wie keine abendländischen Heiligen enthält, sondern nur solche aus Syrien und den Nachbarprovinzen.[10]

Sirmium blieb auch nach der Eroberung durch die Hunnen Bischofsitz bis zur Einnahme und Zerstörung der Stadt durch die Awaren im Jahr 582. Erst etwa 300 Jahre später bekam die einstige Metropole in der Person des Erzbischofs Methodius, eines Griechen, der in Rom geweiht worden war und zusammen mit seinem Bruder Konstantin (Cyrillus) als Lehrer der Slaven gefeiert wird, einen neuen Oberhirten.[11]

2. Bischofsitze in Norikum und Raetia II

Wie aus der Vita des Eugippius hervorgeht, war der Sitz des Bischofs von Ufer-Norikum die Stadt Lauriacum (heute Lorch), wo auch der römische »Dux«, der Oberbefehlshaber der hier stationierten römischen Truppen, der »Legio secunda Italica«, sowie der Donauflotte, der »Classis Lauriacensis«, residierte.[12] Zur Zeit Severins hatte ein gewisser Constantius das Bischofamt der Stadt inne.[13] Er trägt in der Severins-Vita, wie der heidnische Oberpriester einer Provinz in der Antike,[14] den Titel »pontifex«.

In Lauriacum fand unter Kaiser Diokletian der Oberst Florian den Tod als Märtyrer. Die wohl gegen Ende des 4. Jahrhunderts abgefaßte Passio des Heiligen[15] ist ganz deutlich nach dem Muster der Passio des genannten Irenäus von Sirmium abgefaßt.[16] Diese Tatsache zeigt, daß damals die Beziehungen der Kirche von Norikum zur Metropole Sirmium nicht nur rein äußerlich waren.

Der Sitz des »Pontifex« von Binnen-Norikum war Tiburnia (auch

Teurnia) genannt, heute St. Peter im Holz (im Tal der Drau unweit von Spittal).[17] Tiburnia wird in der Vita »Metropole von Norikum« genannt.[18] Der Bischof der Stadt hieß damals Paulinus. Die Vita berichtet, Paulinus habe in einem Schreiben an alle Ortschaften seines Gebietes (universa diocesis suae castella) auf Anraten Severins zu einem dreitägigen Fasten aufgerufen, um so das Unheil, das dem Land durch die ständigen Einfälle drohte, abzuwenden.[19]

Nach dem Zeugnis des heiligen Athanasius[20] hat bereits auf der Synode von Serdica (Sofia) des Jahres 342 ein »episcopus Norici« zusammen mit weiteren 400 Bischöfen, die fast ausnahmslos aus dem Westen des Reiches gekommen waren, die Synodalakten unterschrieben.[21] Daß Athanasius bei diesem nur die Provinz und nicht, wie bei den meisten anderen, den Bischofsitz nennt, mag seinen Grund darin haben, daß es im 4. Jahrhundert in ganz Norikum nur einen einzigen Bischof gegeben hat. Dies ist jedoch nicht zwingend.

Die westlich des Inns gelegene Provinz Raetia II, in deren östlichen Teil Severin ebenfalls verschiedentlich weilte, so in Batavis (Passau) und Quintanis (Künzing), gehörte im Gegensatz zu Norikum nicht zur römischen Präfektur Illyricum und daher in kirchlicher Hinsicht auch nicht zu Sirmium, sondern zur oberitalienischen Metropole Mailand bzw. später zu Aquileja.[22] Bischofsitz war sicher Augusta Vindelicorum (Augsburg); ob auch Regensburg, werden wir noch sehen.

Obwohl Raetia II, wie gesagt, nicht wie Norikum zur Metropole Sirmium gehört hat, scheint doch deren Einfluß bis hierher gereicht zu haben. So geht noch Anfang des 8. Jahrhunderts Bischof Korbinian von Freising außer nach Rom auch nach Sirmium bzw. in die nördlich davon gelegene Provinz Valeria.[23] Von dort brachte er eine hier um 600 geschriebene Evangelien-Handschrift in seine Bischofstadt mit. Der heute noch erhaltene, jetzt in der Bayer. Staatsbibliothek in München aufbewahrte Codex (Clm 6224) weist einen Bibeltext auf, der älter ist als die Vulgata, die bekannte Übersetzung des Hieronymus.[24] Bemerkenswert sind die sich darin findenden Perikopen-Angaben, die der Liturgie Sirmiums angehören und uns in der syrischen Kirche wieder begegnen.[25]

Daß Severin offensichtlich nicht über Quintanis hinaus die Donau aufwärts gekommen war, mag damit zusammenhängen, daß damals bereits Gibuld, der Alemannenkönig, diese Gebiete in Besitz genommen hatte. Gibuld kam in Passau einmal mit Severin zusammen, wo dieser mit dem Barbarenkönig Verhandlungen um die Freilassung römischer Kriegsgefangener geführt hat (c. 19).

Gibuld residierte wahrscheinlich im stark befestigten Reginum, auch Regino bzw. Regina civitas genannt, dem heutigen Regensburg.[26] Das i. J. 179 gegründete Legionslager trug den Namen Castra Regina; es war in der 2. Hälfte des 4. Jahrhunderts wegen seiner starken Mauern zu einem wichtigen zivilen Zentrum geworden, nachdem um diese Zeit die bis dahin hier stationierte Legio III Italica nach Vallatum (heute Manching) verlegt worden war[26a] und nur wenige Truppen zum Schutz in den Mauern zurückblieben. Reginum scheint weithin unversehrt in die Hände des Alemannenkönigs gefallen zu sein. Vor Gibuld war die Festung, ähnlich wie Lauriacum, Sitz des römischen Dux. Nach ihm regierten von hier aus die Agilolfinger-Herzöge, die ebenfalls den Titel »Dux« führten.[27]

3. Hatte Regensburg schon zur Römerzeit einen Bischof?

Die Frage, ob das römische Reginum schon im 4. Jahrhundert einen Bischof hatte, hängt davon ab, ob die Festung bereits damals »municipium« war und somit Stadtrecht besaß. Auf der erwähnten Synode von Serdica war nämlich bestimmt worden, daß in allen Städten des Reiches Bischöfe einzusetzen seien.[28] Eine Urkunde, die auf die Erhebung des Legionslagers zu einem »municipium« hinweisen könnte, ist leider nicht erhalten.

Durch einen glücklichen Zufall wurden jedoch in Lorch Teile der metallenen Stadterhebungsurkunde aus dem Jahr 202 gefunden. Diese Urkunde macht deutlich, daß schon wenige Jahrzehnte nach der Gründung des Legionslagers die Erhebung von Lauriacum zum »municipium«, also zur Stadt erfolgte.[29] Auch wenn bisher in Regensburg kein derartiger Fund gemacht wurde, dürfen wir doch Rückschlüsse auf die Verhältnisse in Reginum ziehen, zumal diese in beiden Legionslagern vermutlich gleich waren.

So hatten beide Truppenlager, die etwa im gleichen Jahr erbaut wurden, eine ausgedehnte Zivilstadt, die »Canabae« oder »Suburbium« genannt wurden. Bezüglich Reginum läßt sich nachweisen, daß es hier einen Ädil, also einen städtischen Beamten, gegeben hat, was jedenfalls für die Annahme, daß der Ort schon früh Stadtrecht besaß, spricht. Vielleicht erfolgte die Stadterhebung sogar im gleichen Jahr wie die von Lauriacum.[30]

Wie die Ausgrabungen in beiden Orten gezeigt haben, gab es in den »Canabae« Tempel und Altäre. Hier saßen die Handwerker, Händler und Gastwirte; hier wohnten die Offiziere sowie Angehörige der Soldaten. Von der Regensburger Zivilstadt mit ihren »Insulae« sind erst vor einigen Jahren umfangreiche Teile, vor allem am Bismarckplatz, freigelegt worden. Diese zeigen, daß es hier schon früh Häuser aus Stein mit komfortablen (heizbaren) Wohnungen sowie »Portici« (Säulenhallen) gab.[31]

Auch hatte es in Reginum, genauso wie in Lauriacum, sicher bereits Ende des 3. Jahrhunderts unter den Soldaten und der Zivilbevölkerung Christen gegeben. So starben in Lauriacum im Jahr 303 der heilige Florianus und mit ihm weitere vierzig Bekenner den Martertod.[32] In Reginum wurde eine Gedenktafel für eine Sarmannina, die »den Märtyrern beigesellt wurde« gefunden; in einer Regensburger Urkunde des 8. Jahrhunderts ist von weiteren Blutzeugen die Rede.[33]

Als Beweis für die Erhebung des Römerlagers zur Stadt kann auch angeführt werden, daß auf der spätrömischen Straßenkarte, der »Tabula Peutingeriana«, der Ort Regino, ähnlich wie etwa Verona und andere bedeutende Zentren des römischen Reiches, als befestigte Stadt erscheint,[34] wie auch Bischof Arbeo von Freising in der Mitte des 8. Jahrhunderts von ihr als der »Metropole Baierns« spricht und ihre starke Befestigung hervorhebt.[35]

Aus der lückenhaften und wenig gesicherten Überlieferung kennen wir nur den Namen eines einzigen Bischofs aus spätrömischer Zeit, nämlich den des Romanen Lupus. Dieser soll beim Einfall heidnischer Baiern gegen Ende des 5. Jahrhunderts, also bald nach der Zeit Severins, erschlagen worden sein.[36] Lupus war allem Anschein nach der letzte einer Reihe von Bischöfen, die seit dem 4. Jahrhundert in Regensburg gewirkt haben und Romanen waren. Ob der in der Severins-Vita erwähnte »Raetiarum episcopus« mit Namen Valentinus[37] seinen Sitz in Regensburg hatte, wissen wir nicht. Doch ist dies durchaus möglich. Die Frage der Identität mit dem heiligen Valentin von Mais (bei Meran) kann wohl nicht mehr mit Sicherheit geklärt werden.

Nicht mit Sicherheit klären läßt sich auch die Frage, ob nach Lupus die Reihe der Bischöfe von Reginum abgerissen ist. In Rom scheint man aber noch im 8. Jahrhundert von einem spätrömischen Bischofsitz in Regensburg gewußt zu haben, da die Kurie die deutlich auf eine frühe Zeit zurückreichende Bezeichnung »Ecclesia Reginensis« – was soviel heißt wie »Kirche (= Diözese) von Reginum« – kannte und in mehreren Schreiben benützte,[37] obwohl die Stadt schon längst nicht mehr Reginum, sondern Radasbona bzw. Reganesburc hieß.

Der Ecclesia Reginensis hatte allem Anschein nach der größere (östliche) Teil der Provinz Raetia II unterstanden.[38] Erst durch Bonifatius kam es, wie wir wissen, zu einer Aufteilung dieses Gebietes in mehrere selbständige Diözesen, nämlich Regensburg, Freising, Passau, Salzburg, Neuburg und Säben. Doch hatten schon zuvor in den genannten Orten Bischöfe, wie Rupert in Salzburg und Korbinian in Freising, gewirkt, ohne daß diese eine fest umrissene Diözese verwaltet hätten. Der zuständige Pontifex bzw. Landesbischof war bis dahin immer noch der Bischof in der Residenz des Herzogs, also der von Regensburg.[39]

Passau wurde zu Beginn des 8. Jahrhunderts Bischofsitz, als Vivilo von Lauriacum wegen der Nähe seiner Bischofstadt zum Gebiet der Awaren hierher übersiedelte.[40] Die endgültige Grenzziehung des Bistums, das in der Folgezeit immer noch weit ins österreichische Gebiet hineinragte, erfolgte dann 739 durch Bonifatius.[41]

Zur Zeit Severins wurde ein neuer Bischof stets vom Klerus und Volk der betreffenden Stadt gewählt. So heißt es vom oben erwähnten Paulinus, die Bürger von Tiburnia hätten ihn gedrängt, das hohe Amt anzunehmen (c. 21,2). Auch Severin hätte man gern zum Bischof erhoben (c. 9,4); dieser hat jedoch abgelehnt, um sich ganz dem monastischen Leben und den sozialen Aufgaben seiner Zeit widmen zu können. Auch ohne Bischofsweihe war er sowohl das geistige als auch das weltliche Haupt Norikums.

4. Das kirchliche Leben in Norikum und Rätien

Aus der Severinsvita geht eindeutig hervor, daß die Provinzen an der oberen Donau in der 2. Hälfte des 5. Jahrhunderts weitgehend christianisiert waren. Es gab in allen Städten und Kastellen Priester (presbyteri) und Diakone (diacones)[42] sowie weitere Kleriker. Unter den letzteren werden erwähnt Subdiakone und Torhüter.[43] Einmal ist auch von einer »gottgeweihten Jungfrau« (virgo sacrata) die Rede.[44]

Zu den (niederen) Klerikern gehörte der Kirchensänger (cantor ecclesiae).[45] Ein solcher Sänger war für den liturgischen Vollzug unbedingt notwendig. Wie noch heute in den orientalischen Riten, hatte dieser die Aufgabe, die verschiedenen Lesungen, sowie die Psalmen und andere Gesänge vorzutragen. In größeren Kirchen gab es damals mehrere »cantores«; der Vorsänger hieß »primicerius cantorum«.[46]

Jeder Ort hatte seine »basilica« (c. 13,1) bzw. »ecclesia«. Bei einigen Kirchen befand sich, wie in Asturis, ein Hospiz (vgl. c. 1,3). Überall im Land hatte Severin Klöster errichtet, die nach der Sitte Illyriens nur von wenigen Mönchen bewohnt waren.[47] Das älteste und größte, das möglicherweise schon vor der Ankunft des Heiligen bestanden hat, befand sich in Favianis (vgl. c. 22,4). In der Regel lagen die Klöster außerhalb der Mauern (vgl. c. 4,6; 22,4).[48] Mönch wurde man durch Ablegung der Gelübde.[49] Den größeren Klöstern stand ein »presbyter« vor.[50]

Über die gottesdienstlichen Gepflogenheiten in den oberen Donauprovinzen gibt uns die Severins-Vita immer wieder Aufschluß. So erfahren wir gleich zu Beginn, daß die Einwohner von Comagenis (heute: Tulln, Niederösterreich)[51] auf Anordnung Severins hin für drei Tage ein allgemeines Fasten hielten.[52] Die Not unter der Bevölkerung war damals, wie eingangs erwähnt, groß. Severin tat ein Zweifaches: er half und ließ beten. Er schaffte Lebensmittel und Kleider herbei, setzte sich für die Befreiung der Kriegsgefangenen ein – er rief aber auch immer wieder ein dreitägiges Fasten aus, eine Bußübung, die schon von den Juden bei besonderen Notständen geübt wurde,[53] wie es beim Propheten Joel heißt: »Haltet ein heiliges Fasten, beruft die Gemeinde, versammelt die Presbyter und alle Bewohner im Hause eures Gottes und ruft inständig zum Herrn!« (1,14 bzw. 2,15).

Fasten bedeutete zu damaliger Zeit, sich den ganzen Tag von jeglicher Nahrung zu enthalten und erst gegen Abend etwas zu essen. Severin fastete auf diese Weise das ganze Jahr hindurch, indem er, außer an bestimmten Feiertagen, niemals vor Sonnenuntergang das Fasten brach.[54]

In Comagenis versammelten sich die Gläubigen an den drei Fasttagen in der Kirche und begingen am dritten Tag die Feier des abendlichen Opfers (sacrificii vespertini sollemnitas). Damit ist, wie sich nachweisen läßt, die Meßfeier gemeint, die andernorts »missarum sollemnia« genannt wurde.

In der Severins-Vita wird diesbezüglich ein Zweifaches ausgesagt, einmal, daß es keine tägliche »sacrificii sollemnitas« gab und zum zweiten, daß die Meßfeier als Abschluß des Fastens, das zugleich ein »ieiunium eucharisticum« (Kommunion-Fasten) war, begangen wurde. Man könnte hier freilich hinsichtlich der Interpretation einer Abendmesse Bedenken haben, wenn wir nicht in der Vita weitere Belege hätten.[55]

So wird c. 13,1–2 berichtet, daß sich Severin einmal während des Sommers in Iuvao (Salzburg)[56] aufhielt. Als man sich am Abend zum Gottesdienst in der »basilica« versammelte, fehlte Feuer, um die Lichter anzuzünden (ad accendenda luminaria). Es wurde versucht, Feuer aus einem Stein zu schlagen, doch dauerte dies zu lange, so daß die übliche Zeit für die »vespertina sollemnitas« vorüberging. Da flammte auf ein Gebet Severins hin die Wachskerze in seiner Hand von selbst auf, und es konnte nun, wie gewohnt, das abendliche Opfer (sacrificium vespertinum) begangen werden.

Anläßlich eines Aufenthaltes Severins in Cucullis (heute Kuchel oberhalb von Salzburg)[57] wird in c. 11 der Vita berichtet, daß auf seine Anregung hin die Priester des Ortes ein dreitägiges Fasten angeordnet haben. Es war nämlich bekannt geworden, daß ein Teil der Bevölkerung immer noch heidnischen Opferbräuchen (nefandis sacrificiis) anhing.

Severin verlangte, daß am dritten Tag jede Familie am Abend zum Gottesdienst eine Kerze mitbringen und eigenhändig an der Kirchenwand anbringen solle. Als der Psalmengesang zu Ende war (psalterio ex more decurso) – gemeint sind allem Anschein nach die Vesper-Psalmen –, forderte der Heilige »zur Stunde des Opfers« (ad horam sacrificii) die anwesenden Presbyter und Diakone auf, zu Gott zu beten, daß die Götzendiener offenbar würden. Nach diesem Gebet flammten die Kerzen der »fideles« von selbst auf, während die der anderen, die immer noch heimlich dem Heidentum anhingen, ohne Flamme blieben.

Wie in Comagenis stellt hier die Feier des »sacrificium« am Abend den Abschluß eines dreitägigen Fastens dar.[58] Ob dies auch in Iuvao der Fall war, läßt sich aus dem Wortlaut der Vita nicht feststellen. Auch Ambrosius von Mailand († 397) bezeugt ein »sacrificium vespertinum« bzw. eine »celebranda oblatio« an den Fasttagen zur Abendzeit.[59] Das gleiche gilt für Paulinus von Nola († 431)[60] und den Orient,[61] wo im byzantinischen Ritus noch heute an vier Tagen des Jahres die Verbindung der abendlichen Vesper mit der Eucharistiefeier üblich ist. Auch ein fränkisches Capitulare von 807 setzt noch eine Messe zur »hora nona« (gegen 3 Uhr nachmittags) als Abschluß eines dreitägigen Fastens voraus.[62]

Nach der Severins-Vita gab es neben der »sollemnitas sacrificii« in Norikum auch einen davon unabhängigen Gottesdienst, der täglich stattfand: die Vesper, die uns in Cucullis als erster Teil der abendlichen Feier begegnet ist.[63]

So ist in c. 44,5 davon die Rede, daß die Mönche, bevor sie die Grabstätte Severins öffneten, die abendliche Psalmodie (vespere psalmodia) gesungen haben. In c. 30,3 ermahnt der Heilige die Bürger von Lauriacum, in einer bestimmten Nacht auf den Mauern der Stadt besonders scharf Wache zu halten. Als der (übliche) Psalmengesang zu Beginn der Nacht (in noctis principio psalmodia) zu Ende war[64] und eine starke Nachtwache ihren Dienst angetreten hatte, wurde durch eine Fackel zufällig ein kleiner Brand verursacht, was ein allgemeines Geschrei zur Folge hatte. Dadurch sind die in den Wäldern versteckten Feinde so in Schrecken versetzt worden, daß sie flohen.

Während hier deutlich die Gläubigen am (täglichen) Abendgottesdienst teilnehmen,[65] ist in c. 39,1 von einem Psalmengesang der Mönche zu Beginn der Nacht (noctis principio psalmodia) die Rede. Es werden außerdem ein Morgengottesdienst (matutinae orationes) und weitere Gebetszeiten (orationum tempore) erwähnt, vielleicht Terz, Sext und Non.

Severin nahm im Kloster Favianis, seinem eigentlichen Wohnsitz, an den monastischen Gottesdiensten regelmäßig teil, obwohl er eine eigene Zelle, etwas vom Kloster entfernt, bewohnte (vgl. c. 4,6). »Er hielt zusammen mit ihnen in feierlicher Weise (sollemniter) den Morgengottesdienst und den Psalmengesang zu Beginn der Nacht.« Dagegen verrichtete er die übrigen Gebetszeiten (reliqua orationum tempora) in seiner Zelle (vgl. c. 39,1).

Eigentliche Nachtgottesdienste, also Vigilien, waren in den einzelnen Gemeinden wohl selten und nur in den Klöstern üblich. Severin hat jedoch diese monastische Sitte in Zeiten der Not auch in den Gemeinden einzuführen versucht, sehr zum Unwillen einiger Kleriker. So sagt in c. 22,3 ein Priester zu ihm: »Geh fort, du Heiliger, geh nur schleunig, auf daß wir nach deinem Abschied mit dem Fasten und den Nachtwachen (vigiliis) auf ein Weilchen Schluß machen können.«

Gewöhnlich dürften die »vigiliae« auf die Osternacht und auf die Nächte vor den großen Festen beschränkt gewesen sein; vor allem aber waren sie bei den feierlichen Exequien üblich, wie sie für einen verstorbenen Bischof oder Priester vor der Beerdigung oder an den Jahrtagen gehalten wurden.

So erfahren wir in c. 16 von einem solchen Nachtgottesdienst für den Priester Silvanus in Quintanis,[66] zu dem die Presbyter und Diakone der Umgebung erschienen waren. Der Verstorbene war in der Kirche aufgebahrt, während die Anwesenden die ganze Nacht mit Psalmengesang zugebracht haben.[67]

Wie die Darlegungen gezeigt haben, gewinnen wir durch die Angaben der Severins-Vita ein anschauliches Bild von einem regen kirchlichen Leben in den oberen Donauprovinzen während der 2. Hälfte des 5. Jahrhunderts. Dieses Bild wird ergänzt durch Ausgrabungen von Kirchengebäuden aus der gleichen Zeit, zum Teil auch noch früher, wie die folgende Darstellung zeigt.

Leider ist durch den Einfall verschiedener Völkerschaften, zuletzt (um 600) der Awaren, in dieses Gebiet das hier blühende Christentum rasch, wenn auch nicht vollständig, ausgelöscht worden. Teile der romanischen Bevölkerung konnten sich mit dem Leichnam Severins nach dem Süden absetzen, wo sie im Kernland Italien eine neue Heimat gefunden haben.[68]

Für die Zurückgebliebenen, vor allem die romanisierten Kelten, brachen unruhige Zeiten an, die eine ordentliche Seelsorge weithin erschwert haben. Doch dürfen wir davon ausgehen, daß sowohl

Lauriacum als auch Reginum weiterhin Zentren des christlichen Glaubens gebildet haben und daß immer wieder Bischöfe und Priester aus dem Süden, vor allem aus dem Patriarchat Aquileja, bzw. dem Südosten, aus Sirmium, gekommen sind und hier gewirkt haben.

Namentlich bekannt ist ein 588 verstorbener Bischof Marcianus, dessen Grabinschrift im Dom zu Grado (bei Aquileja) erhalten blieb. Wie der Text zeigt, hat dieser 43 Jahre im Bischofsamt gelebt, davon 40 Jahre als Wanderbischof (peregrinatus est pro causa fidei).[69] Wenn auch die Provinz, in der Marcianus gewirkt hat, nicht eigens genannt wird, so ist doch vor allem an Raetia II zu denken, das damals zum Patriarchat Aquileja gehört hat.

Ende des 6. Jahrhunderts beschweren sich die Oberhirten der zum Metropolitanverband von Aquileja gehörenden Diözesen in einem Schreiben an den Kaiser Mauritius vom Jahr 591, daß immer mehr fränkische Bischöfe in die nördlichen Gebiete des Patriarchats eindringen.[70] Aus dem 7./8. Jahrhundert kennen wir Namen; es sind dies die Bischöfe Emmeram, Rupert, Korbinian und Erhard, während Bischof Ratharius von Regensburg (um 730) aus Oberitalien stammen dürfte.

Die ältesten Kirchenbauten im Alpenraum

Kaum eine Gegend in Europa ist so reich an Zeugnissen sehr früher Kirchenbauten wie der Alpenraum (wobei im folgenden Alpenraum in einem ganz bestimmten Sinn gemeint ist, nämlich vor allem die Ostalpen etwa von Aquileja an der Adria bis zur Donau). Es soll hier keine Bestandsaufnahme aller alten in diesem Gebiet sich findenden sakralen Baudenkmäler erstellt werden, es geht vielmehr darum, die wichtigsten frühen Kirchen ihrem Typus nach zu bestimmen und diese dann liturgiegeschichtlich einzuordnen. Dabei möchte ich mich im allgemeinen auf die Zeit vor Karl d. Gr. beschränken.

1. Die frühchristliche Hauskirche

Am Anfang der Entwicklung steht die »domus ecclesiae«, die Hauskirche. Sie ist im Alpenraum in mehreren Zeugnissen für uns greifbar.[1]

Der Raum, in dem sich die Anhänger Jesu zum Gottesdienst versammelten, war bis in die Zeit Konstantins vielerorts das Haus eines reichen Gemeindemitglieds, in abgelegenen Gegenden noch länger. Daneben gab es aber auch schon vor Konstantin Gebäude, die ausschließlich als Versammlungsort der Gemeinde dienten, vielleicht sogar bereits Basiliken im eigentlichen Sinn, die ähnlich wie die Synagogen der Juden angelegt waren.[2]

Was die Urgemeinde in Jerusalem betrifft, so wird in der Apostelgeschichte (12,12) das Haus Mariens, der Mutter des Johannes Markus, »wo viele zum Gebet versammelt waren«, als Petrus im Gefängnis saß, eigens erwähnt. In diesem Haus befand sich vielleicht der gleiche Saal, in dem Jesus mit seinen Jüngern das Letzte Abendmahl feierte (vgl. Lk 22, 12) und er ihnen als Auferstandener am Ostersonntag erschien (vgl. Lk 24,33).

In einem von Gläubigen überfüllten Obergemach (coenaculum) in Troas, in dem viele Lampen brannten, wie es Apg 20,8 heißt, hat Paulus seinerzeit den Abschiedsgottesdienst gehalten, bevor er nach Milet weiterreiste. Das Obergemach diente übrigens schon im rabbinischen Judentum als Gebetsstätte und Versammlungsraum, wie auch Daniel im Obergemach seines Hauses bei offenem Fenster in Richtung Jerusalem betete (Dan 6,11).[3]

In den Städten scharte man sich vielfach um die Erstbekehrten. So versammelte man sich in Korinth im Haus des Stephanas (vgl. 1 Kor 16,15). Priska und Aquila stellten ihr Haus »in Asia«, wohl in Ephesus, zur Verfügung (vgl. 1 Kor 16,19), weshalb Paulus direkt von einer »Hauskirche« (κατ' οἶκον ἐκκλησία, domestica ecclesia) spricht, welche die beiden Frauen bei sich beherbergten.[4] Ähnliches wird Röm 16,2 von einer Frau mit Namen Phöbe berichtet, die in Kenchreä, der Hafenstadt von Korinth, wohnte. Paulus nennt sie »unsere Schwester, die im Dienst der Kirche (von Kenchreä) ist«. In Laodizea wiederum war es das Haus der Nympha, die Paulus Kol 4,15 grüßt mitsamt »der Gemeinde in ihrem Hause«.[5]

Bei der wachsenden Zahl der Gemeindemitglieder, die allein in Jerusalem nach Angabe der Apostelgeschichte von 120 (Apg 1,15) zuerst auf 3000 (Apg 2,41), dann auf 5000 (Apg 4,4) anstieg, konnten natürlich nicht mehr alle Christen in einem einzigen Haus Platz finden. So bildeten sich Gemeinschaften in einzelnen Hauskirchen (vgl. Apg 2,46: κατ' οἴκους), worin freilich die Gefahr der Spaltung lag. Dies wird in Briefen des Ignatius von Antiochien († um 117) deutlich (vgl. Magn 7,1).[6] Daher auch seine Mahnung an die Gemeinde in Smyrna (c. 8): »Keiner tue etwas ohne den Bischof, was die Versammlung angeht. Nur jene Eucharistie gelte als gesetzmäßig, die unter dem Bischof, oder wem er sie anvertraut hat, stattfindet.«[7]

In den kleinen, überschaubaren Hausgemeinden konnte der kühne Satz des Apostels Paulus verwirklicht werden: »Da gibt es nicht mehr Jude noch Grieche, Sklave oder Freier, Mann oder Frau: ihr alle seid eins in Christus« (Gal 3,28; vgl. 1 Kor 12,13; Kol 3,11). Die sozialen Verhältnisse der antiken Welt zu ändern, war für die Christen damals nicht möglich, aber in ihren Versammlungen, in ihren Hauskirchen, konnten sie damit beginnen, die sozialen Unterschiede in ihrer brüderlichen Gemeinschaft zu überbrücken.

Durch einen glücklichen Zufall ist uns aus der ersten Hälfte des 3. Jh. ein christliches Versammlungshaus in der parthisch-römischen Grenzstadt Dura-Europos am mittleren Euphrat erhalten geblieben und zwar genau in dem Zustand, in dem es sich im Jahre 256 befand

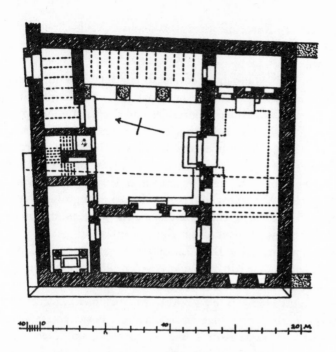

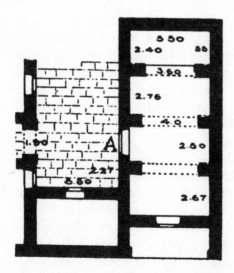

Abb. 1. Die Hauskirchen von Dura-Europos (oben) und Anz
(nach von Gerkan bzw. Butler).

(vgl. Abb. 1). Zuvor diente es als Wohnhaus, vielleicht einem wohlhabenden Gemeindemitglied, bevor es für kultische Zwecke umgebaut wurde.[8]

Durch den Abbruch einer Zwischenmauer gewann man beim Umbau aus zwei Räumen einen Saal von etwa 60 m² (Grundriß 5×12,5 m). Dieser diente der Feier der Eucharistie. So ist an der Ostwand das Podest, auf dem allem Anschein nach der Altar stand, noch zu erkennen. Außerdem wurde ein Raum im Norden des Gebäudes zu einem Baptisterium (Taufraum) umgebaut und mit einfachen Gemälden (die salbentragenden Frauen am Ostermorgen) ausgestattet. Wir erkennen ferner zwischen dem großen Versammlungssaal und dem Baptisterium einen Verbindungsraum und schließlich einen Innenhof mit einem Portikus.

Der Hauskirche von Dura-Europos entspricht, was die Größe und Anlage betrifft, ein Kirchenbau in Anz (im Süden von Syrien). Dieser stammt aus der 1. Hälfte des 4. Jh., ist also etwa 100 Jahre jünger als die genannte Hauskirche (vgl. Abb. 1). Auch hier begegnen uns der langgestreckte, einschiffige, nach Osten hin ausgerichtete Raum für die Feier der Eucharistie sowie ein Innenhof und Nebenräume.[9] Ähnlich sind auch die späteren syrischen bzw. nestorianischen Gotteshäuser angelegt.

Aus dem Alpenraum – und darum geht es uns ja in diesem Zusammenhang – haben sich deutbare Fundamente von ausgesprochenen Hauskirchen des 4. Jh. in Zillis (St. Martin) und in Augsburg (St. Johann) erhalten. Zu diesem frühen Typus gehören wahrscheinlich auch die »domus ecclesiae« innerhalb des Legionslager von Lauriacum (Lorch), sowie der Vorgängerbau der späteren bischöflichen Fluchtkirche auf dem Kirchbichl bei Lavant, auf die später eingegangen wird.

Das Charakteristikum in den genannten Fällen ist die etwa gleiche Größe des Raumes wie in Dura-Europos, dann das Fehlen einer Apsis, sowie die ungefähr in der Mitte des Raumes errichtete sigmaförmige (also einen Halbkreis bildende) Steinbank. Diese weist in den einzelnen Hauskirchen eine unterschiedliche Sehnenlänge von 4–7 m auf und hat 20 und mehr Personen Platz geboten. Eine solche steinerne Sigmabank fehlt in den syrischen Kirchen; sie scheint charakteristisch für den Alpenraum zu sein.

Wir betrachten nun die genannten Zeugnisse im einzelnen und

versuchen dabei, diese freistehende Sigmabank liturgiegeschichtlich zu deuten.[10]

Unter der romanischen St. Martinskirche in Zillis (wohl das römische Ciranes) in Graubünden am Hinterrhein wurde kurz vor dem 2. Weltkrieg eine frühchristliche Hauskirche ihren Fundamenten nach ausgegraben.[11] Hier nimmt die Sigmabank genau die Mitte des Raumes ein. Die darauf Sitzenden waren nach Westen hin ausgerichtet (vgl. Abb. 2).

Die Hauskirche besaß einst auch Nebenräume. Diese lagen auf der Nordseite: in der Mitte ein rechteckiges Baptisterium, westlich davon der Ankleideraum für die Täuflinge und östlich vermutlich die Sakristei (sacrarium). Der 9×17 m, also relativ große Raum ruht auf einer römischen Kulturschicht. Als Alter des Gotteshauses wird das 5. Jh. angenommen; ich möchte jedoch seine Entstehung, da es sich um eine typische Hauskirche handelt, etwas früher, jedenfalls noch Ende des 4. Jh. ansetzen.

Abb. 2. Die Hauskirchen von Zillis (links) und Lorch (nach Büttner-Müller bzw. Noll).

Bei Grabungen in der 1908 abgebrochenen Kirche St. Johann in Augsburg, die ebenfalls auf römischen Fundamenten ruht, wurde 1930 eine ähnliche Anlage aus dem 4. oder 5. Jh. wie in Zillis festgestellt.[12] Auch hier eine Sigmabank genau in der Mitte des Raumes. Ein großer Nebenraum, der als Baptisterium verwendet wurde, lag im Westen. Leider liegen keine exakten Grabungsunterlagen vor.

Die Hauskirche von Lauriacum (Lorch), deren Fundamente in der Nähe des römischen Prätoriums ausgegraben wurden (Größe 9×7,3 m), ist später, d. h. wohl im 5. Jh., durch den Abbruch einer Trennwand nach Westen hin erweitert worden (vgl. Abb. 2). Auch hier begegnet uns eine Sigmabank aus Stein von ca. 4 m Sehnenlänge, sowie zwei Nebenräume im Norden, die ähnlich wie in der Kirche von Zillis wohl der Taufspendung gedient haben.[13]

Eine Sigmabank fehlt in der 1956 ihren Fundamenten nach im einstigen Römerkastell Abodiacum (Lorenzberg) bei Epfach freigelegten Hauskirche. Die drei Nebenräume liegen hier im Osten.[14] Sie gehören sehr wahrscheinlich nicht, wie Prof. Werner annahm,[15] zum eigentlichen Gottesdienstraum, sondern dürften ebenfalls für die Feier der Taufe bestimmt gewesen sein.

Die Frage geht hier nach der liturgischen Funktion der freistehenden Sigmabank. Ihre zentrale Lage (fast) in der Mitte des Raumes sowie ihre im Verhältnis zu diesem enorme Größe verbietet von selbst die Annahme, daß es sich, wie E. Dyggve annahm,[16] in unseren Fällen um eine Klerikerbank gehandelt hat. Da die ältesten Christengemeinden im Bereich der Alpen wohl kaum mehr als 25 erwachsene Gläubige aufgewiesen haben, hat eine solch große Bank nur dann einen Sinn, wenn alle Gottesdienstteilnehmer auf ihr saßen.

Wenn dies richtig ist, dann erhebt sich die weitere Frage, in welchen Teilen des Gottesdienstes die Gläubigen auf der Sigmabank Platz genommen haben. Zweifellos saßen sie, wie auch später, beim Wortgottesdienst mit seinen Lesungen und der Predigt des Priesters. Für den Fall, daß im Alpengebiet bis Ende des 4. Jh. der urchristliche Brauch der Agapefeier erhalten blieb, was durchaus möglich ist – im ägyptischen Raum lebte dieser noch bis ins 5. Jh. und auf dem flachen Land hier noch länger weiter[17] –, mag die Bank auch zur Abhaltung von Agapen gedient haben, ebenso bei Totenmahlen, wie sie bei Beerdigungen und an Jahrtagen üblich waren.[18]

Gegen Ende des 4. Jh. hörte in den meisten Gebieten des römischen Reiches die Begehung der sonntäglichen Agape auf, nachdem in dem damals abgehaltenen Konzil von Laodizea im Canon 28 beschlossen wurde, »daß es nicht angebracht sei, ἐν ταῖς κυριακαῖς, d. i. in den Kirchen des Herrn,[19] Mahlzeiten, die Agape genannt werden, abzuhalten, auch nicht innerhalb des Gotteshauses (intra domum dei) zu essen oder Ruhelager auszubreiten (accubita sternere)«.[20]

Die Feier des eucharistischen Opfers wurde nun allgemein auf den Morgen verlegt; nur an bestimmten Tagen, vor allem an Fasttagen, wurde sie auch weiterhin am Abend begangen, nun aber nicht mehr, wie einst, mit der Agape, sondern mit der Vesper verbunden. Dies wird an mehreren Stellen in der Vita des hl. Severin († 482), die sein Schüler Eugippius verfaßt hat,[21] deutlich.[22]

Falsch wäre anzunehmen, daß die Gläubigen auch während der Feier der Eucharistie auf der Sigmabank ihre Plätze hatten.[23] Wie nämlich aus der Didascalia Apostolorum, einer Kirchenordnung des 2./3. Jh. deutlich hervorgeht, standen die Gläubigen nach dem Wortgottesdienst zum Gebet auf, wobei sie sich nach Osten hin ausgerichtet haben, während sie beim Sitzen auf der Bank nach Westen schauten. In der ersten Reihe, unmittelbar vor dem Altar, standen die »praepositi«, die Vorsteher der Gemeinde, dann kamen die Männer und, von diesen getrennt, die Frauen.[24]

Diese Tatsache – das Sitzen bei der Agape und das Stehen zur Opferfeier – fand schon früh einen ikonographischen Niederschlag in einer doppelten Darstellung des Letzten Abendmahls Jesu als des Prototyps des »Herrenmahls«, wie es Paulus 1 Kor 11,20 nennt: einmal als Apostelkommunion und dann als ein Sitzen (bzw. Liegen) Jesu und der Apostel auf einer Sigmabank an einen Sigmatisch – eine frühe Darstellung aus der Zeit um 500 ist in einem Mosaik von San Apollinare Nuovo in Ravenna erhalten –, wobei sich auf dem Tisch bezeichnenderweise nicht, wie zu vermuten wäre, Brot und Wein, befinden, also die Elemente der Eucharistiefeier, auch nicht das Paschalamm, sondern ein oder mehrere Fische[25] (vgl. Abb. 3).

Wie ist dies zu erklären, nachdem doch nirgends im Neuen Testament von einem Fischessen bei diesem Anlaß gesprochen wird? Der Fisch galt, im Gegensatz zum Fleisch, in den alten Religionen als »rein«. Bei der »cena pura«, dem »reinen Essen«, wie die halbrituel-

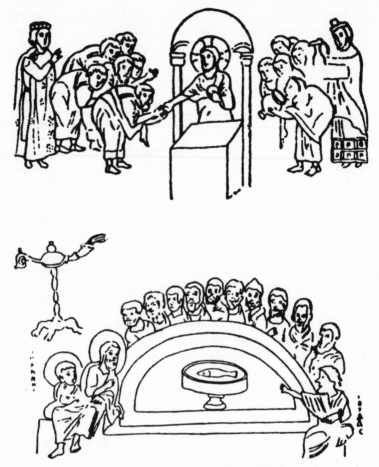

Abb. 3. Apostelkommunion und Abendmahl im Chludor-Psalter (9. Jh.).

len Mahlzeiten der Juden, wie z. B. das Sabbatmahl, hießen, wurde
daher meist Fisch (mit Beilagen) gegessen. Das gleiche dürfen wir
aufgrund der genannten Darstellungen auch von den Agapen der
Christen annehmen.[26]

Dabei hatte hier der Fisch zusätzlich noch Symbolcharakter; er
bedeutet nämlich nach frühchristlicher Auffassung Christus. So
heißt es in der berühmten Aberkios-Inschrift (kurz nach 200): »Der
Glaube leitete mich überall und setzte mir allerorts als Speise vor

32

einen Fisch aus der Quelle, einen überaus großen, reinen, den
gefangen hat eine reine Jungfrau, und diesen gab er (der Glaube) den
Freunden zum Mahl immerdar.«[27]

Das eucharistische Opfer und das Hinzutreten der Teilnehmer
zum Altar, um die konsekrierten Opfergaben zu empfangen, wird in
der ältesten Ikonographie wie folgt dargestellt: Christus steht als der
(eigentliche) Opferpriester und Ausspender an einem mit einem
Baldachin geschmückten Altar. Ihm nahen sich die Teilnehmer – hier
die Apostel – von beiden Seiten ehrfurchtsvoll zum Empfang der
Kommunion.[28]

2. Saalkirchen ohne Apsis

Aus der schlichten frühchristlichen Hauskirche hat sich ab etwa 400
im Alpengebiet eine etwas größere Saalkirche entwickelt, wobei
entweder wie in Lorch die Trennmauer zum anschließenden Raum
entfernt und dadurch, entsprechend der inzwischen gewachsenen
Zahl der Gläubigen, ein größerer Kultraum entstand, oder indem ein
solcher neu geschaffen wurde. So weist z. B. die Saalkirche aus dem
Ende des 4. Jh., deren Fundamente im römischen Anaunia (Bozen)
ausgegraben wurden, eine gegenüber den frühen Hauskirchen, die
etwa 7×9 m wie in Lorch bzw. 9×17 m wie in Zillis Grundfläche
hatten, nun (einschließlich der Vorhalle) eine Länge von ca. 37 m bei
einer Breite von ca. 13 m auf[29] (vgl. Abb. 4).

Zum gleichen Typus wie die Saalkirche von Anaunia gehört die im
römischen Julium Carnicum (Zuglio im Friaul).[30] Die Fundamente
zeigen eine Länge von ca. 25 m bei einer Breite von ca. 12 m. Hier
lagen im Ostteil des Gotteshauses vier Nebenräume, deren Bestimmung im einzelnen nicht mehr ersichtlich ist (vgl. Abb. 4). Die
beiden gleichgroßen ehemaligen Räume links und rechts neben dem
Presbyterium könnten den Pastophorien (Diakonikon und Prothe-
sis) der syrischen Kirchen entsprechen, die an die Ostwand angebauten wiederum für die Feier der Taufe bestimmt gewesen sein.

Auch in diesen beiden Saalkirchen begegnet uns eine gemauerte
Sigmabank. Auf ihr hatten nun aber ohne Zweifel nicht mehr die
Gläubigen, sondern die Kleriker ihre Plätze. Die Gläubigen saßen im
Kirchenschiff und zwar, wie wir noch sehen werden, auf Bänken, die

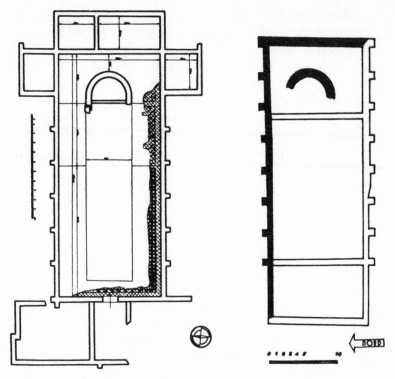

Abb. 4. Die Saalkirchen von Zuglio (links) und Bozen
(nach Menis bzw. Rasmo).

entlang der Seitenwände sowie der rückwärtigen Bank angebracht
waren. Der Raum in der Mitte blieb weitgehend frei. Diese Ordnung
hat sich bis heute im byzantinischen Osten erhalten.

Zu den größeren Saalkirchen gehören im Alpenraum auch die
Doppelkirchen. Wir finden sie ausschließlich an Bischofssitzen, so
schon früh, nämlich zu Beginn des 4. Jh. in Aquileja, das seit dem
5. Jh. die kirchliche Metropole für das ganze östliche Alpengebiet bis
an die Donau wurde. Es handelt sich in Aquileja um eine aus zwei
Sälen gebildete Doppelbasilika, entstanden aus einem Kaiserpalast,
den Konstantin dem Bischof der Stadt Theodorus überlassen hatte[31]
(vgl. Abb. 5).

Beide Saalkirchen, deren flache Decke einst auf drei Säulenpaaren
ruhte, sind etwa gleich groß (ca. 20×37 m)[32]. Sie blieben auch beim

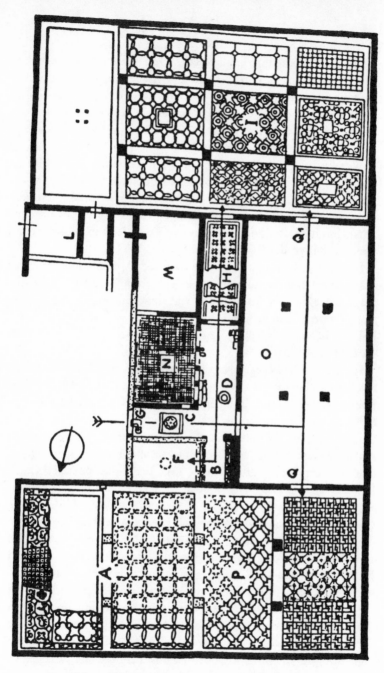

Abb. 5. Die Doppelanlage (um 315) von Aquileja
(nach Osservatore Romano).

Umbau nach dem Jahr 452 als solche, wenn nun auch vergrößert und als Pfeilerbasilika gestaltet, erhalten. Zwischen ihnen befand sich in der ursprünglichen Bauperiode ein etwas kleinerer, quer dazu liegender Raum, ferner ein Gang, der von einem Kultsaal zum anderen führte sowie zum östlich gelegenen Baptisterium. Dieses bekam 452 seinen Platz vor der Südbasilika.[33]

Was die liturgische Verwendung der beiden Saalkirchen betrifft, so dürfte die linke für den Wortgottesdienst und die Unterweisung der Katechumenen, die rechte für die Feier der Eucharistie bestimmt gewesen sein. Letzteres legen nicht zuletzt Standspuren des einstigen Altars inmitten des Jonas-Mosaiks im Ostteil der Kirche sowie eines Ambo inmitten des Raumes nahe.

In der Zeit Konstantins wurde auch die Doppelbasilika in Trier ausgebaut.[34] Im Donauraum lassen sich frühe Doppelkirchen, die ähnlich wie die von Aquileja angelegt sind, im römischen Reginum (Regensburg)[35] und in Aquincum (Budapest)[36] nachweisen, im oberitalienischen Gebiet u. a. in den Bischofskirchen von Grado, Triest, Parenzo und Verona.[37]

Im Alpenraum begegnen uns Doppelkirchen in Juenna (Jaunberg), am Grazerkogel in der Nähe von Klagenfurt (vermutlich ein Zufluchtsort des Bischofs und der Einwohner von Virunum), sowie in Stribach, dem einstigen Bischofsitz Aguntum.

Letzterer Komplex, dessen Grundmauern auf einer spätrömischen Anlage ruhen, wurde leider 1912 nicht vollständig ausgegraben, so daß wir vom Nordbau nur mehr Teile der Fundamente erkennen können (vgl. Abb. 6). Der Südbau hatte eine Gesamtlänge von ca. 29,5 und eine Breite von ca. 9,5 m; er weist im Osten wiederum die charakteristische Sigmabank auf. Das Paviment des Halbkreises, den die Bank bildet, ergibt mit dem ihm unmittelbar vorgelagerten Bezirk ein 4,6×5,6 m großes und um 17 cm erhöhtes Podium. Hier stand ehedem ein Steinaltar; Säulenfragmente und eine Mensaplatte gestatten seine Rekonstruktion als eines rechteckigen Tischaltars.[38]

Jünger als die Bischofskirche von Aguntum ist die Doppelkirche des römischen Juenna am Jaunberg (Hemmaberg), südöstlich von Virunum, die Egger in die Zeit »vor der Mitte des 5. Jh.« datiert[39] (vgl. Abb. 7). Als Bischofstadt ist Juenna nicht bezeugt, was jedoch nicht auszuschließen braucht, daß es hier zeitweise einen (Chor-)-Bischof (= Landbischof) gegeben hat.

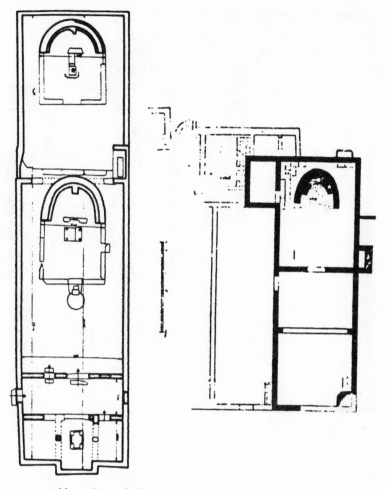

Abb. 6. Doppelanlagen in Kirchbichl (links) und Stribach
(nach Menis bzw. Egger).

Die Grabungsarbeiten legten 1908 eine Anlage von drei Gebäuden
frei: einen einfachen Saalbau (8,9×21,3 m), mit z. T. erhaltenem,
künstlerisch gutem Bodenmosaik, und parallel dazu rechts einen nur
wenig kleineren Raum (8×18,4 m), der eine Apsis aufweist. Genau
in der Achse lag im Westen, ungefähr 20 m vom ehemaligen Eingang
entfernt, ein Baptisterium (mit einer Piscina), das die Form eines
Oktogons aufweist.

Abb. 7. Die Doppelkirche auf dem Hemmaberg (nach Egger).

Im linken Saalbau befindet sich im Osten eine gemauerte Sigmabank von 5 m Sehnenlänge. Davor, etwas tiefer im Niveau, der
rechteckige Altarraum mit seinem steinernen Tischaltar. Etwas außerhalb des Presbyteriums ist an der rechten Seite im Mosaik ein
Rechteck von 0,7×1,3 m ausgespart. Hier – und vermutlich auch an
der gegenüberliegenden Seite – stand jeweils ein Tisch, der für die
Opfergaben des Volkes bestimmt gewesen sein dürfte.[40]
    Im rechten Saalbau fehlen Spuren eines Altars; stattdessen begeg-
net uns vor der gemauerten Sigmabank ein Podium, das mit einer
Chorschranke, die links und rechts einen schmalen Zugang offen
ließ, abgeschlossen war. Es spricht viel dafür, daß dieser rechte Raum

der Unterweisung der Katechumenen gedient hat. Das ihm unmittelbar gegenüber liegende Baptisterium weist in die gleiche Richtung.

Zur bereits kurz genannten Doppelanlage am Grazerkogel, der Fluchtkirche von Virunum, läßt sich wegen der geringen Fundamentspuren liturgiegeschichtlich nichts bemerken.[41]

Eine einzigartige Doppelanlage – sie hat bei einer Breite von nicht ganz 10 m eine Länge von über 40 m – wurde auf dem Kirchbichl bei Lavant, unweit der spätantiken Stadt Aguntum (heute Lienz) ausgegraben. Im Gegensatz zu den eben erwähnten Kirchen liegen hier die beiden Räume nicht nebeneinander, sondern hintereinander[42] (vgl. Abb. 6).

Das Gotteshaus wurde im 5. Jh. über den Fundamenten einer römischen Villa erbaut; es diente in den unruhigen Zeiten nach dem (teilweisen) Abzug der römischen Truppen für die Bewohner von Aguntum als Fluchtkirche. Zuvor stand hier eine schlichte Hauskirche mit einer Sigmabank und einem kleinen Taufraum im Westen. Beim Umbau im 5. Jh. wurde im Osten des Saales eine zweite Kirche angebaut, die nun als Baptisterium und zugleich für den Unterricht der Katechumenen diente. Die einstige Ostwand des älteren Raumes hat man dabei entfernt.

Das ursprüngliche Gotteshaus bekam eine neue Sigmabank, in deren Mitte nun der Platz für den Bischof hervorgehoben ist. Außerdem wurde nach Art der älteren syrischen Kirchenbauten in der Mitte des Raumes ein steinernes »Bema«, d. i. ein Ambo (Lesepult) zur Verkündigung des Evangeliums und zum Vortrag der übrigen liturgischen Lesungen, auch der Predigt des Bischofs,[43] angebracht. Das Bema ist mit dem Altarraum durch Chorschranken verbunden.

3. Saalkirchen mit halbrunder Apsis

Frühchristliche Kleinkirchen, die eine halbrunde Apsis aufweisen, gehen nicht selten auf die Apsidensäle (sacellae) römischer Gutshöfe zurück. Diese waren einst den Hausgöttern geweiht und für die Zusammenkunft der Christen gut geeignet. Die ältesten Zeugnisse sind noch unter die Hauskirchen im eigentlichen Sinn einzuordnen.

Eine derartige Hauskirche könnte die im spätantiken Römerkastell Zurzach (Aargau) sein.[44] Sie stammt aus der Zeit um 400. Der etwas trapezförmige Raum ist 9,1–9,9 m lang und 11,0–11,4 m breit. Im Südosten weist er eine stark eingeschnürte Apsis auf, deren Boden um 40 cm erhöht ist und die vermutlich an der Wand eine Sigmabank aus Holz enthielt. Von einem Altar haben sich keine Spuren erhalten; wahrscheinlich war er ebenfalls aus Holz. Im Süden sind zwei Räume angebaut, von denen der eine ein rechteckiges Taufbecken enthält (vgl. Abb. 8).

Die genannte Kirche von Zurzach gehört zu den insgesamt 35 noch erkennbaren Resten früher christlicher Kulträume im Gebiet der heutigen Schweiz. Diese sind von B. Ita, »Antiker Bau und frühmittelalterliche Kirche«, katalogmäßig erfaßt.[45]

In einigen (späten) Fällen ist die Apsis nicht vom Kirchenschiff abgesetzt; dieses geht vielmehr direkt in die Rundung über, so in Schiers und Lantsch (beide in Graubünden), sowie in Mühlthal an der oberen Isar[46] und im ältesten Bau der Zeno-Kirche von Naturns.[47]

Eine besondere Erwähnung verdient die Kirche von Laubendorf (am Millstätter See), die um 600 beim Einfall der Awaren zerstört

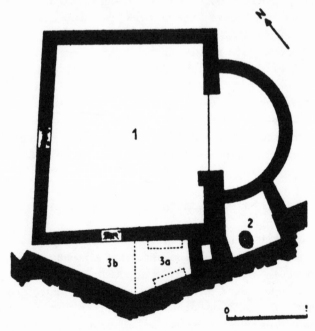

Abb. 8. Die Hauskirche von Zurzach (nach Fellmann).

wurde. H. Dolenz stellte die Vermutung auf, sie habe als letztes Refugium der Bischöfe von Tiburnia (heute St. Peter im Holz) gedient. Da sie nun als Bischofskirche verwendet wurde, hat man, ähnlich wie in Kirchbichl, nachträglich in die Mitte der Priesterbank eine Kathedra angebracht.[48]

Errichtet wurde der Bau wohl schon zu Beginn des 5. Jh., als es, wie wir aus der Severins-Vita wissen, in Norikum noch ein blühendes kirchliches Leben gab.[49] Die Ausgrabungen zeigen eine kleine Saalkirche von 6,85 × 13,7 m Grundfläche mit einer halbrunden Apsis im Osten. Das Gotteshaus entspricht dem Grundriß und der Größe nach weitgehend einer frühchristlichen Kirche in Grado (bei Aquileja).[50] Es scheint sich demnach um eine für das 5. Jh. typische Form zu handeln (vgl. Abb. 9).

In Laubendorf ist der Altarplatz der Apsis vorgelagert; er war, wie die Standspuren zeigen, mit hölzernen Chorschranken umgeben.

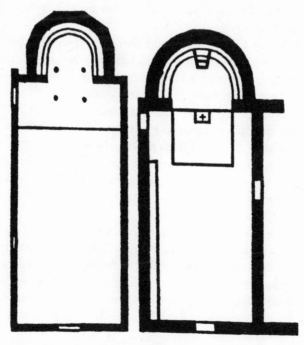

Abb. 9. Grundrisse der frühchristlichen Hallenkirchen von Grado (bei Aquileia) und Laubendorf (rechts).

Solche werden in der Severins-Vita »ecclesiae septa« genannt (c. 16,2). An ihnen waren, in Nachahmung der beiden Vorhänge im Tempel zu Jerusalem, Vorhänge angebracht.[51] Diese wurden bei bestimmten Teilen der Meßfeier, so während des vom Priester gesprochenen Opfergebets, zugezogen, wie es heute noch in den östlichen Riten der Fall ist.

Der Zelebrant hatte seinen Platz vor dem Altar, also mit dem Rücken zum Volk. Die Gläubigen saßen bzw. standen entlang der Seitenwände. In Laubendorf ist die steinerne Bank an der Nordwand erhalten geblieben. Auch hier wieder die Bestätigung durch die Severins-Vita, wo davon die Rede ist, daß die Gläubigen an ihren Plätzen entlang der Kirchenwand Kerzen aufgesteckt haben (c. 11,2).[52]

Die Kirche in Laubendorf hatte außerdem, ähnlich wie die frühen syrischen Gotteshäuser,[53] einen Vorhof auf der Südseite. Von hier führte eine Tür ins Innere des Heiligtums. Daneben gab es noch einen Zugang an der Westseite und einen kleineren an der Nordseite (in der Nähe des Altars).

Eine relativ große Saalkirche mit halbrunder Apsis stellt die auf den Grundmauern eines gallo-römischen Jupiter-Tempels errichtete Bischofskirche von Lauriacum (Lorch) dar,[54] in der Severin das bekannte Ölwunder gewirkt hat (vgl. Severins-Vita c. 28).[55]

Es handelt sich hierbei um einen Bau von 12,5 × 17,2 m Grundfläche, mit einer 4,5 m tiefen und 7,45 m breiten halbkreisförmigen Apsis im Osten. Etwa seit Beginn des 5. Jh. hat in ihrem Scheitelpunkt eine Kathedra für den Bischof gestanden. Außerdem wurde damals, 3,5 m von der Kathedra entfernt, ein massiver Altarstipes (1,72×0,75 m) errichtet, an dessen Stelle in der 2. Hälfte des 5. Jh. ein großer Blockaltar getreten ist.

Die spätantike Bischofskirche von Lauriacum, die trotz einer Fläche von 214 m² keine Basilika im eigentlichen Sinn darstellt, weist ferner eine Vorhalle auf, sowie einen, vielleicht auf die vorchristliche Zeit zurückgehenden Turm, der heute noch steht. Ob einst ein zweiter Gottesdienstraum, wie in anderen Bischofskirchen unseres Gebiets, vorhanden war, könnte nur durch weitere Ausgrabungen festgestellt werden.

4. Saalkirchen mit quadratischem Altarraum

Unter den frühmittelalterlichen Kirchen gewann etwa seit dem 5./ 6. Jh. der Typus mit quadratischem (kubischem) Altarraum eine weite Verbreitung. Er stellt eine Neubildung dar und begegnet uns im Gebiet von Friaul im 6. Jh. im römischen Nemes Castrum (Nimis). Die im Fußboden der späteren Kirche ergrabenen Fundamente zeigen hier eine Fläche von ca. 6,8×9,8 m, also kaum 70 m², und einen Altarraum von ca. 3×3 m sowie eine Vorhalle.[56]

Die quadratische Gestalt des Altarraums könnte, wie frühe Holzbauten nahelegen – so etwa die in Staubing bei Weltenburg (Donau) in ihren Fundamenten erkennbare Kirche aus der Zeit um 600 – primär durch die Holzkonstruktion, die eine runde Apsis nur schlecht ermöglicht, bedingt sein.[57] Einen Steinbau wiederum stellt die älteste Pfalzkapelle der Agilolfinger in Regensburg (unter dem Fußboden der Niedermünsterkirche), etwa aus der gleichen Zeit dar, ein relativ großer Raum von 8,6×21,5 m² Grundfläche.[58]

Im Vinschgau stehen noch heute (Stein-)Kirchen des gleichen Typus in Laas (St. Sisinnius) – auf einem Hügel außerhalb des Ortes gelegen – und in Naturns (St. Prokulus), ebenfalls außerhalb der Ortschaft, beide in unmittelbarer Nähe der Römerstraße Claudia Augusta. Wann genau die beiden Gotteshäuser erbaut wurden, entzieht sich unserer Kenntnis.[59]

Wichtig für unsere liturgiegeschichtliche Deutung sind die in Naturns teilweise erhaltenen, wohl aus der Zeit des Baiernherzogs Tassilo III (abgesetzt 788) stammenden Fresken, die m. E. von einem bairischen Künstler ausgeführt sind.[60] In Laas sind keine Wandmalereien vorhanden. Wir beschränken uns hier auf die Fresken am Triumphbogen in Naturns und übergehen die an den Wänden des Kirchenschiffs; im Altarraum selbst sind keine vorkarolingischen Malereien mehr erhalten.

Der Kirchenbesucher sieht links und rechts der Chorwand je eine schwebende Engelsfigur mit Flügeln. Dabei fällt auf, daß beidemal der zur Wand hin ausgestreckte Flügel nach unten gebogen erscheint, während der andere zur Mitte des Chorbogens hin ausgestreckt ist, wobei sich die beiden Flügel im Scheitelpunkt des Chorbogens fast berühren.

Daß die Darstellung der beiden Cherubim am Chorbogen nicht

der Idee des Malers der Kirche von Naturns entsprungen ist, sondern damals weithin üblich war, zeigt eine ähnliche Darstellung in der karolingischen Kirche von Germigny-des-Prés, einer Schöpfung des Bischofs Theodulph von Orléans († 818). Sie befindet sich hier jedoch nicht am Chorbogen, sondern im Apsismosaik, wobei als zentrale Darstellung die alttestamentliche Bundeslade hinzukommt.[61] Es handelt sich deutlich um die Übernahme der beiden Cherubim im Tempel Salomons, von denen es 1 Kg 6,23–27 heißt: »Und es machte (Salomon) für das Heiligtum zwei Cherubim . . . und er stellte sie in die Mitte des inneren Tempels. Und die Cherubim hielten ihre Flügel ausgestreckt, so daß der Flügel des einen die eine Wand berührte, während der Flügel des anderen die andere Wand berührte. Die anderen Flügel aber berührten einander in der Mitte des Tempels.«

Auch der quadratische (bzw. kubische) Altarraum steht allem Anschein nach zu seinem alttestamentlichen Vorbild in Beziehung; so wenn es 1 Kg 6,16–20 heißt: »Und es machte (Salomon) das innere Haus zum Allerheiligsten und stellte darin die Lade des Bundes nieder . . . Das Heiligtum hatte zwanzig Ellen in der Länge, zwanzig Ellen in der Breite und zwanzig Ellen in der Höhe.«

Das Allerheiligste des Salomonischen Tempels, dem der Altarraum in der christlichen Kirche entspricht, war demnach, wie dies auch vom himmlischen Jerusalem der Apokalypse ausgesagt wird (vgl. Apk 21,16), kubisch. Entsprechend zeigt der Altarraum unseres Kirchenbautypus einen quadratischen Grundriß, der freilich in Naturns, etwas verändert erscheint. Doch ist anderswo in der Regel die strenge quadratische Form gewahrt, so z. B. in der genannten Pfalzkapelle der Agilolfinger sowie in zahlreichen anderen frühmittelalterlichen Gotteshäusern. In größerer Zahl sind solche im Gebiet des Großmährischen Reiches, also im Raum der bairischen Ostmission, bezeugt.[62]

5. Frühmittelalterliche Saalkirchen mit drei Pfeilerpaaren

Ein relativ seltener und hauptsächlich im Alpengebiet vorkommender Kirchenbautypus ist die Saalkirche (ohne Apsis), deren Decke bzw. Gewölbe drei Pfeilerpaare tragen, wodurch drei gleichgroße und gleichhohe »Schiffe« gebildet werden.

Dieser Typus entspricht den bereits genannten ältesten Sakralbauten der Bischofskirche von Aquileja; doch sind die Gotteshäuser im Alpenraum wesentlich kleiner angelegt. Unter diesen sind nicht wenige dem hl. Zeno, Bischof von Verona († um 373) geweiht. Ihr Vorbild ist in der ähnlich gebauten, im 18. Jh. abgerissenen Zeno-Kapelle (Cella Sancti Zenonis) in Verona zu suchen.[63] Vor den Türen dieses Heiligtums haben im Winter 588/89 bei einem Hochwasser die reißenden Fluten der Etsch wunderbarerweise Halt gemacht. Da Zeno seit dieser Zeit als Patron gegen die Gefahren des Wassers verehrt wird, hat man Zeno-Heiligtümer gern in der Nähe von Flüssen und Seen errichtet.

Hierher gehört ein uraltes, in der Barockzeit leider verändertes Kirchlein im Gehöft San Zeno bei Bardolino am Gardasee,[64] sowie die sog. Erhardi-Zelle in Regensburg in unmittelbarer Nähe der Donau. Nach meinen Untersuchungen stellt letztere ein frühmittelalterliches Zeno-Heiligtum dar; sie ist noch heute weitgehend in ihrem ursprünglichen Zustand erhalten (Grundfläche 5,9×6,5 m). Der Bau dürfte dem 7. Jh. angehören (und nicht dem 11. Jh., wie meist angenommen wird) und mit der Zeno-Verehrung zusammenhängen, die durch die einstige bairische Herzogstochter und spätere Langobardenkönigin Theodolinde in der Donaustadt heimisch wurde.[65] So enthält ein Sakramentar (Meßbuch), das hier unter Herzog Tassilo III entstanden ist und das jetzt in Prag liegt, ein eigenes Formular für das Zenofest am 8. Dezember.[66]

Von Regensburg aus hat sich die Verehrung des Heiligen in Baiern ausgebreitet; auch die Krypta des Zeno-Heiligtums in Isen (Obb.) zeigt die für frühe Zenokirchen typischen drei Pfeilerpaare. Zu unserem Typus gehören weiterhin auch nicht dem hl. Zeno geweihte Kirchen, wie S. Maria Matricolare am Dom zu Verona und die Benediktus-Kapelle im Kreuzgang des dortigen Zeno-Klosters.

6. Frühchristliche Kreuzkirchen

Ein weiterer, nach 400 anzutreffender Kirchenbautypus im Alpengebiet – seine ältesten Zeugnisse stammen aus der Zeit des hl. Severin –
ist die Kreuzkirche. Ein frühes Beispiel stellt der seinen Fundamenten nach erkennbare erste Bau der Kirche S. Abondio in Como aus
dem 5. Jh. dar; er hat eine Länge von ca. 23 m bei einer Breite des
Hauptschiffes von ca. 11 m und ist daher keineswegs unter die
Kleinkirchen einzuordnen.[67]

Charakteristische Merkmale dieses Kirchenbautyps sind das östliche Querschiff und die im Norden, Süden und Westen angebauten
Vorhallen.[68] Heute noch in situ, wenn auch im Laufe der Zeit stark
verändert, ist die Kirche San Stefano in Verona. Auch aus dem
Alpenbereich sind mehrere Kirchen des gleichen Typus ihren Fundamenten nach ausgegraben.

Am interessantesten und zugleich bekanntesten ist die Kirche im
spätrömischen Bischofsitz Tiburnia oder Teurnia (heute St. Peter im
Holz bei Spittal (vgl. Abb. 10). Sie lag etwas außerhalb der spätantiken Stadt und wird deshalb meist als Friedhofskirche betrachtet.[69]
Dies kann sie m. E. aber nicht gewesen sein, da sie dafür zu groß

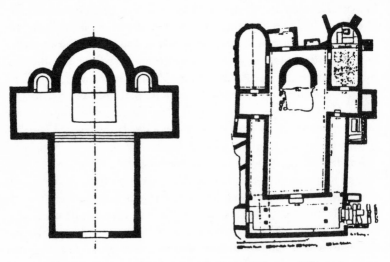

Abb. 10. Die Kreuzkirchen von Sabiona (links) und Tiburnia
(nach Egger bzw. Menis).

angelegt ist. Das »Hauptschiff« ist ca. 22 m lang und 9,25 m breit, also nur wenig kleiner als das von San Abondio in Como. Doch weist das Gotteshaus, im Gegensatz zu diesem, keine Apsis auf; wir finden stattdessen im Altarraum die bekannte Sigmabank.

Ob das Querschiff die gleiche Höhe hatte wie das Hauptschiff, wissen wir nicht. Dies wäre jedoch notwendig, um von einem Querschiff im eigentlichen Sinn sprechen zu können. Vielleicht ist die Bezeichnung Querbau daher eher angebracht.

Von diesem führen in der Kirche von Tiburnia Türen links und rechts zu je einer im Osten angebauten Kapelle. Die rechte, die noch relativ gut (samt dem Fußbodenmosaik) erhalten blieb, weist einen eigenen Altar sowie die dazu gehörigen Chorschranken auf. Die das Schiff des Gotteshauses auf drei Seiten umgebenden Vorhallen gehören nicht der ersten Bauperiode an; vielleicht waren sie anfänglich nur aus Holz errichtet.

Dies dürfte jedenfalls für die Kreuzkirche in einem anderen spätrömischen Bischofsitz auf der Fliehburg Sabiona (Säben bei Brixen) zutreffen (vgl. Abb. 10). Der Grundriß des Heiligtums entspricht in etwa der genannten Kirche von Tiburnia (Größe ca. 8,8×18 m).[70] Die beiden Seitenkapellen, die nicht zum Typus als solchen gehören, fehlen hier; an deren Stelle finden wir je eine kleine Seitenapsis. Der Bau weist außerdem, wie in San Abondio, eine Hauptapsis auf, der wiederum die typische Sigmabank (Sehnenlänge 7 m) vorgelagert ist. Das Ganze bildet den Altarraum, der zum Kirchenschiff hin durch vier Stufen erhöht ist – genug Raum also, um feierliche bischöfliche Funktionen mit Leviten und Sängern abzuhalten.

Vielleicht hat auch die erste Anlage der St. Georgs- (jetzt St. Emmerams-)Kirche in Regensburg zum gleichen Typus wie die von Sabiona gehört.[71] Darüber könnten freilich erst Grabungen Sicherheit erbringen.[72]

Während es sich bei den bisher genannten Gotteshäusern um Bauten von beträchtlicher Größe (ca. 10×20 m) handelt, begegnet uns im St. Peterskirchlein ob Gratsch (bei Tirol), das auf den Fundamenten eines frühchristlichen Heiligtums steht, dem wie die neuesten Grabungen gezeigt haben, wiederum ein heidnisches Sanktuarium voranging, der gleiche Typus wie in Sabiona, wenn auch in verkleinerter Form (Größe 3,5×12 m).[73]

Von den beiden für unseren Typus charakteristischen Nebenapsiden blieb hier nur die im südlichen Kreuzarm erhalten; sie wurde jedoch im 11. Jh. zugemauert und zu einer Nische umgestaltet. In sie ist das Bruchstück einer frühchristlichen Altarplatte, die einen erhöhten Rand aufweist, eingefügt. Das Fresko mit dem Brustbild des hl. Paulus stammt aus der gleichen Zeit. Die linke Nebenapsis hat man später zu einer Tür erweitert, die nun, ähnlich wie in Tiburnia, zu einer Seitenkapelle führt. Auch sonst sind im Laufe der Zeit verschiedene Um- und Anbauten vorgenommen worden.

Zu gleichen Typus dürfte schließlich auch das aus dem 6. Jh. stammende Kirchlein St. Peter in Altenburg (oberhalb des Kalterer Sees) gehören, von dem noch Ruinen vorhanden sind.[74]

Über die liturgische Verwendung der beiden Seitenapsiden wird im folgenden Abschnitt gesprochen werden.

7. Saalkirchen mit drei Apsiden

Dieser vor allem in Churrätien ab dem 8. Jh. vorkommende Kirchenbautypus läßt sich im syrisch-palästinensischen Raum bereits im 4./5. Jh. in der Kirche von El'Ajoudjeh (Größe ca. 12,5×21 m) nachweisen,[75] ferner aus späterer Zeit in Griechenland (auf der Insel Mykonos)[76] und in Bulgarien (Palastkirche von Pliska),[77] sowie in der um 735 entstandenen, jetzt abgebrochenen Kirche S. Maria d'Aurona in Mailand (Größe ca. 12,5×20,5 m) und in Parenzo (linke Seitenkirche).[78]

Die ältesten derartigen Bauten in Churrätien, nämlich Heiligtümer in Chur und Disentis, sind nur mehr in ihren Fundamenten nachweisbar bzw. auf alten Stichen zu sehen.[79] Bis heute steht noch die Klosterkirche St. Johann in Müstair (Graubünden) aus der Zeit um 800. Sie stellte ursprünglich einen Saalbau mit einem Grundriß von 12,7×19,5 m dar, also von fast 250 m² wie die erwähnte Kirche in Como. Erst in der Spätgotik (1492) wurden drei Säulenpaare zur Stützung des neu eingezogenen Gewölbes eingebaut.[80]

Andere frühe Saalkirchen mit drei Apsiden sind die Kirche St. Peter in Mistail, die aus der gleichen Zeit wie die in Müstair stammt und auch ganz ähnlich wie diese angelegt ist; ferner der zweite Bau von St. Martin in Zillis, das Kirchlein St. Benedikt in Mals (Vinschgau), sowie einige Spätlinge, darunter die wegen ihrer romanischen

Malereien bekannte Burgkapelle in Hocheppan (bei Bozen) aus dem 12. Jh.[81]

Was war nun die liturgische Funktion der drei, eng nebeneinander liegenden Apsiden, die wir ähnlich bereits in den spätrömischen Kreuzkirchen vorgefunden haben?

Es läßt sich zeigen, daß von den drei Altären, die in den Apsiden aufgestellt bzw. mit diesen fest verbunden sind wie z. B. in St. Benedikt in Mals, nur der mittlere für die Zelebration bestimmt war, da er allein ein Sepulchrum (Reliquiengrab) aufweist. Auf dem rechten »Seitenaltar«, der dem Tisch im Diakonikon der östlichen Gotteshäuser entspricht, wurden die Opfergaben der Gläubigen, vor allem Brot und Wein, aber auch andere Feldfrüchte wie Trauben, niedergelegt, welche die Gläubigen vor Beginn des Gottesdienstes dem Diakon übergeben haben. Im Kloster Müstair, wo anscheinend viele Opfergaben anfielen, diente dem gleichen Zweck außerdem noch die im Süden angebaute Vorhalle mit einer eigenen Apsis.

In diesem Raum wählte der Diakon zu Beginn die für die Meßfeier bestimmten Opfergaben aus, um sie nach dem Wortgottesdienst in feierlicher Prozession vom rechten Seitenaltar aus an den Hochaltar zu tragen, wo sie der zelebrierende Priester, der selbst nicht an dieser Prozession beteiligt war, in Empfang nahm. Diese Gabenprozession entspricht dem »Großen Einzug« in den verschiedenen orientalischen Riten.

Auf dem linken Seitenaltar befanden sich die liturgischen Bücher: das Evangelienbuch und die Lektionare mit den Lesungen aus dem Alten Testament und aus den Apostelbriefen. Das über diesem Altar angebrachte Apsisbild in Müstair, das die »Traditio legis«, die Übergabe der Gesetzesrolle durch Christus an Petrus und Paulus darstellt – ein frühchristliches Motiv –, könnte darauf hinweisen.

Vielleicht stand hier auch der siebenarmige Leuchter, dessen Gebrauch in der Liturgie für die Zeit um 800 ausdrücklich bezeugt ist (im byzantinischen Gotteshaus steht er hinter dem Altar). Damit wäre abermals eine deutliche Beziehung zum Tempel in Jerusalem gegeben, wo nach Num 8,2 der Leuchter gegenüber dem Tisch mit den Schaubroten zu stehen hatte.

Daß auf dem Opferaltar in der Hauptapsis vielerorts außerdem eine mit Goldblech beschlagene hölzerne Bundeslade aufgestellt war, wie sie die Vorschrift in Ex 25,10 gefordert hat, wissen wir ebenfalls aus der Literatur. Im Domschatz von Chur ist eine solche »arca« (zur Aufbewahrung der Eucharistie) aus dem 8. Jh. heute noch zu sehen.[82]

Der besprochene Kirchenbautypus – die Saal- bzw. Kreuzkirche mit drei Apsiden – entspricht dem altgallikanischen Ritus. Dieser wurde im wesentlichen im 4. Jh. ausgebildet und war bis ins 8. Jh. in unserm Gebiet heimisch. Er unterscheidet sich grundlegend vom römischen Ritus, den die Karolinger später in ihrem Reich eingeführt haben, hat aber eine nicht zu übersendende Ähnlichkeit mit dem kleinasiatisch-syrischen Ritus des 4. Jh.[83]

So finden wir in der gallikanischen Liturgie den »Großen Einzug«, in dem die für das eucharistische Opfer vom Diakon ausgewählten Gaben feierlich von den assistierenden (Priestern und) Diakonen zum Altar getragen werden;[84] in der römischen Messe war hingegen ein Einsammeln der Opfergaben durch den Zelebranten (in Rom durch den Papst und seine Assistenz) üblich und zwar erst unmittelbar nach dem Wortgottesdienst. Ein Einzug mit den Opfergaben fehlt hier.

Ebenfalls wie in den Kirchen des Ostens – erinnert sei hier an das Apsismosaik von Osios David in Thessaloniki aus dem 5. Jh. –[85], dominiert in der mittleren Apsis von Müstair das Bild der »Majestas Domini«: Christus umgeben von den Cherubim und den vier Evangelisten. Etwas einfacher ist die nur wenig jüngere, ähnliche Darstellung im Kirchlein von Mals.[86]

In Müstair finden wir in der rechten Apsis abermals Christus dargestellt, jedoch als Brustbild in einem Clipeus. Mit diesem sind kreuzförmig vier weitere Brustbilder (auch diese jeweils in Schildform) verbunden, außerdem die Symbole der Vier Wesen der Apokalypse. Darunter ist das Lied verzeichnet, das diese ohne Unterlaß vor dem Throne Gottes singen: »Sanctus, sanctus, sanctus, Dominus Deus omnipotens, qui erat qui est et qui venturus est« (Apk 4,8).[87] Es handelt sich dabei um den Refrain eines beim Einzug mit den Opfergaben im gallikanischen Ritus gesungenen Liedes:

»(Ecce apertum est) Siehe, geöffnet ist der Tempel mit dem Zelt des Zeugnisses und das neue Jerusalem steigt herab vom Himmel; in ihm ist der Thron Gottes und des Lammes. Und seine Diener bringen ihm Gaben dar und sprechen: Heilig, heilig, heilig, Herr Gott Allmächtiger, der war, der ist und der sein wird. V. Und siehe, es sitzt in der Mitte (des Tempels) auf dem Thron seiner Herrlichkeit das Lamm und eine Stimme ruft vor ihm: Gesiegt hat der Löwe aus dem Stamme Juda, die Wurzel Davids. Und die vier Wesen sprechen ohne Ruhe vor dem Thron: Heilig, heilig, heilig, Herr Gott Allmächtiger, der war, der ist und der sein wird«.[88]

Damit sind die wichtigsten Zeugnisse der ältesten Kirchenbauten im Alpenraum kurz aufgezeigt, wobei zugleich versucht wurde, sie liturgiegeschichtlich einzuordnen. Es wurde auch deutlich, wie im 5. Jh., als unser Gebiet bereits weithin für den christlichen Glauben gewonnen war – dies können wir aufgrund der Berichte in der Severins-Vita schließen[89] – aus der »domus ecclesiae«, dem schlichten Versammlungsort der frühchristlichen Gemeinde zur Feier der Agape und Eucharistie, nun die »domus dei«, das Haus Gottes, geworden ist als ein Abbild des Tempels in Jerusalem und zugleich des himmlischen Jerusalem.[90]

Anhang:
Zur ältesten Bischofskirche von Aquileja

Zur Frage der frühchristlichen liturgischen Mahlzeiten in Aquileja hat Peter Franke im Archiv für Liturgiewissenschaft 14 (1972) 139–155 eine Miszelle veröffentlicht, in der er sich mit meinen Hypothesen bezüglich eines Weiterlebens der frühchristlichen Agape-Eucharistie in Aquileja, wie ich dies in meiner Studie Domus ecclesia vertreten habe,[1] auseinandersetzt.

Im Anschluß daran und an die Replik von Heinzgerd Brakmann[2] sowie aufgrund eigener neuer Erkenntnisse, die in meiner Studie »Sacrificium vespertinum« niedergelegt sind,[3] habe ich mich inzwischen von meinen damaligen Auffassungen teilweise distanziert, weshalb ich hier im einzelnen nicht nochmals auf die ganze Problematik einzugehen brauche. Dabei bin ich zur Erkenntnis gelangt, daß sich die das halbrituelle jüdische Mahl im Familienkreis am Sabbatabend weiterführende Eucharistie-Agape am Abend des Samstags, der zugleich als der Beginn des Herrentags galt, vom 4. Jahrhundert an nur mehr in Teilen Ägyptens und bis zu Beginn der Neuzeit auch in Äthiopien erhalten hat.[4] Dagegen ist eine Meßfeier am Abend, meist in Verbindung mit der Vesper, lange Zeit auch anderswo üblich geblieben.[5]

Wann außerhalb des koptischen Raums die urchristliche Sitte der Verbindung der abendlichen Agape mit der Feier der Eucharistie aufgegeben wurde, muß offen bleiben. Wahrscheinlich geschah dies nicht überall zur gleichen Zeit. Dabei halte ich heute ein Weiterleben in Aquileja bis in den Anfang des 4. Jahrhunderts, also bis zur Errichtung der ersten Domkirche hier, für wenig wahrscheinlich. Die von mir seinerzeit gebrachten Argumente haben sich als nicht stichhaltig erwiesen. Hierin muß ich P. Franke recht geben.

Auch bin ich jetzt nicht mehr ganz sicher, ob es sich bei sämtlichen von Giovanni Brusin als frühchristliche Hauskirchen bezeichneten Apsisräumen, wie sie bei den Ausgrabungen westlich des Doms von Aquileja zu Tage getreten sind,[6] tatsächlich um solche und nicht doch um profane Speiseräume handelt, trotz des in einigen sich findenden Schaftträger-Motivs in der Mitte des Fußbodenmosaiks, wie es ähn-

lich in der Südhalle der ältesten Bischofskirche von Aquileja vorkommt.[7]

P. Franke geht in seiner Miszelle, ähnlich wie andere Forscher,
offensichtlich davon aus, daß die Bodenmosaiken, wie sie unter dem
Fußboden der mittelalterlichen Domkirche aufgedeckt wurden, von
Anfang an für einen christlichen Kultraum bestimmt waren. Hierzu
möchte ich einiges anmerken.

Wie schon vor Jahren Ludwig Voelkl klar erkannt[8] und neuerdings
Walter N. Schumacher näher begründet hat,[9] sind an der ursprünglichen Komposition des Jonas-Mosaiks, das die gesamte Osthälfte der
spätantiken Halle einnahm, Veränderungen vorgenommen worden.
Diese bestehen darin, daß die Jonas-Geschichte erst nachträglich in
eine rein profane Komposition, eine von buntem Getier und kahn-
fahrenden Putten belebte Wasserlandschaft, wie sie uns ähnlich auch
anderswo begegnet,[10] eingefügt erscheint.

Die Umwandlung zum Jonas-Mosaik dürfte gleichzeitig mit der
Anbringung der zentralen Theodorus-Inschrift (anstelle einer Oke-
anos-Darstellung?) erfolgt sein. Dies ist vielleicht schon bald nach
313, also noch zu Lebzeiten des Bischofs Theodorus (ca. 308–319),
geschehen. Das bereits erwähnte kleine Schafträger-Bildnis im südlichen »Seitenschiff« gehört hingegen allem Anschein nach noch der
ursprünglichen Komposition der Fußbodenmosaiken an. Es stellt
sicherlich nicht den Pastor bonus dar, sonst hätte es jedenfalls eine
zentralere Stelle am Fußboden gefunden.

Aus all dem muß man schließen, daß eine nicht-kultische Verwendung des einstigen Raumes vorausgegangen war. Wenn nicht alles
täuscht, haben wir es, wie bereits Josef Fink angedeutet[11] und es dann
L. Voelkl offen ausgesprochen hat,[12] bei den Fundamenten der ältesten Bauten am Domplatz mit Teilen eines kaiserlichen Palastes, der
von Maximian erbaut worden war, zu tun. Nach seinem Sieg von 313
nahm Konstantin, als sich ihm die Stadt Aquileja freiwillig ergeben
hatte, diesen in seinen Besitz, stellte ihn aber anschließend dem
Bischof der Stadt als Kathedrale zur Verfügung, ähnlich wie dies in
Trier der Fall war. Theodorus hat dann, vielleicht mit Unterstützung
des Kaisers, die Umwandlung des Palastes in eine Doppelkirche
vorgenommen und dabei u. a. kleinere Änderungen an den Fußbodenmosaiken anbringen lassen.

In den letzten Jahren wird immer mehr erkannt, daß die hier sich findenden Darstellungen in ihrer Gesamtheit primär keine christlichen Motive zum Inhalt haben, auch nicht das einst von G. Brusin als »Triumph der Eucharistie« gedeutete Mosaik im vorderen Zentrum des »Mittelschiffs«.[13] Dabei kann jedoch nicht ausgeschlossen werden, daß man diese und einige weitere Darstellungen, wie den Schafträger oder den Hahn mit der Schildkröte, später im christlichen Sinn verstanden hat.[14]

In diesem Zusammenhang wurden bisher zu wenig die Reste spätantiker Wandmalereien an der unteren Hälfte der Südwand beachtet,[15] die eine Gartenlandschaft zeigen und zweifellos noch aus der Zeit der profanen Verwendung der Halle innerhalb des Kaiserpalastes stammen. Im Zusammenhang mit der Umwandlung in einen Kultraum steht die Rille, welche die genannten Malereien durchbricht und die bei der Anbringung von Chorschranken vor dem Presbyterium mit dem Jonas-Mosaik entstand. Die Chorschranken dürften, wie auch Otto Nussbaum vermutet,[16] schon zur Zeit des Theodorus vorhanden gewesen sein.

Was die Standspuren über der Theodorus-Inschrift im Presbyterium sowie über dem bisher als »Triumph der Eucharistie« gedeuteten Victoria-Mosaik im vorderen Teil des Mittelschiffs betrifft, so sind diese heute nicht mehr mit letzter Sicherheit zu deuten. Falls die Chorschranken schon zur Zeit des Theodorus angebracht waren, stand an dieser Stelle zweifellos der Altar, anfänglich ein solcher aus Holz, später einer aus Stein. Jedenfalls gehen die Standspuren des letzteren in die Zeit nach Theodorus zurück.

Es darf jedoch nicht ganz ausgeschlossen werden, daß der erste Steinaltar, ähnlich wie in anderen Kirchen Italins, so in Ravenna[17] und in Nordafrika, nicht hier, sondern über dem Victoria-Mosaik errichtet war. Während in Nordafrika in solchen Fällen die Kirchen meist gewestet sind, d. h. der Eingang im Osten liegt,[18] sind die ravennatischen Basiliken mit zentralem Altar ausnahmslos mit der Apsis geostet, wie dies auch für die Halle in Aquileja zutrifft.

An einen Oblationstisch kann ich nicht glauben, eher noch mit Brusin an einen zentralen, auf vier Säulen ruhenden Ambo,[19] ähnlich dem »Bema« in den frühen syrischen Kirchen, zumal ein solcher an dieser zentralen Stelle auch im weiteren Gebiet des Patriarchats Aquileja, nämlich in der frühchristlichen Kirche von Kirchbichl (bei Lienz), vorkommt.[20]

Was die ursprüngliche Verwendung der beiden Hallenkirchen betrifft – die nördliche für den Wort- bzw. Katechumenengottesdienst,[21] die südliche für die Feier der Eucharistie – bestehen im allgemeinen keine Meinungsverschiedenheiten.

Die Rolle Aquilejas und der bairischen Diözesen bei der Missionierung der Westslaven

vor allem in liturgiegeschichtlicher Sicht

Als der heilige Method vor dem »concilium episcoporum« stand, das im Spätherbst 870 im Anschluß an eine Reichsversammlung in Regensburg abgehalten wurde,[1] haben ihm die Kläger, die bairischen Bischöfe, vorgeworfen: »Du lehrst auf unserm Gebiet«.[2] Es wird zu zeigen sein, ob und wie weit dies den Tatsachen entspricht, hatte sich doch Method mit dem Hinweis auf seine Ernennung durch Papst Hadrian II (867–872) zum Erzbischof von Sirmium und päpstlichen Legaten für Mähren verteidigt.[3]

Auch die Berufung an den Apostolischen Stuhl hat ihm nichts genützt, da die bairischen Bischöfe sich auf ältere Rechte beriefen, ihn absetzten und in ein Kloster verbannten.[4] Erst über zwei Jahre später hat ihn Papst Johannes VIII (872–882), der Nachfolger Hadrians, rehabilitiert und ihn jetzt, wenn auch nicht mehr als Erzbischof von Sirmium, sondern als solcher von Mähren (archiepiscopus sanctae Ecclesiae Marabensis)[5] bestätigt und in sein Missionsgebiet zurückgeschickt, begleitet von einem päpstlichen Legaten, dem Bischof Paulus von Ancona. Method residierte vermutlich in Velehrad.[6]

I

Das Land, in dem Method, zuerst gemeinsam mit seinem Bruder Konstantin (Cyrill), dann nach dessen Tod in Rom allein wirkte, war das Großmährische Reich. Es umfaßte die von Awaren und Slaven ab dem 6. Jahrhundert in Besitz genommenen Gebiete Mährens sowie Teile der pannonischen Tiefebene.[7] Die im Süden gelegene, alte römische Metropole Sirmium (Mitrovica), als deren Erzbischof Method vom Papst zuerst ernannt worden war, hatte seit der Einnahme und Zerstörung der Stadt durch die Awaren 582 keinen Oberhirten mehr.[8]

Wie die gesamte römische Präfektur Illyricum, bestehend aus der Diözese Illyricum occidentale (mit den Provinzen Noricum, Pannonia, Dalmatia, Savia und Valeria) und der Diözese Illyricum orientale (Moesia, Dacia, Macedonia)[9] unterstand auch Sirmium, die Hauptstadt dieser Präfektur, bis dahin kirchlich dem Patriarchat von Rom.[10]

Sirmium selbst dürfte schon früh von Syrien aus missioniert worden sein, was sich in der Legende widerspiegelt, daß Andronikus, einer der Siebzig Jünger des Herrn, der erste Bischof der Stadt war. Hier fanden in den arianischen Streitigkeiten von 347 bis 359 mehrere Synoden statt;[11] hier könnten auch die bekannten Fragmenta Ariana entstanden sein, eine lateinisch geschriebene, pro-arianische Streitschrift, in der liturgische Formeln der Katholiken zum Beweis herangezogen werden. Möglich wäre, daß in ihnen Texte aus der sonst unbekannten Liturgie Sirmiums vorliegen.[12]

Um die Seelsorge in den von Awaren und Slaven in Besitz genommenen, einst Sirmium unterstehenden Provinzen bemühten sich Kleriker aus dem benachbarten Patriarchat Auqileja, so nachweisbar schon unter Patriarch Callistus (728–756), der seinen Bischofsitz nach Cividale verlegt hatte, um dem Missionsgebiet näher zu sein.[13]

Vorher bereits, nämlich zu Beginn des 5. Jahrhunderts, hatten die Bischöfe von Aquileja Metropolitanrechte über die Bischöfe Venetiens und Istriens erworben. In der Folgezeit haben sie diese auf die östlichen Teile von Raetia secunda sowie die beiden norischen Provinzen mit den alten Bischofsitzen Regium (Regensburg), Lauriacum (Lorch) und Teurnia (St. Peter im Holz) ausgedehnt.

Von den arianischen Ostgotenkönigen, deren Reich diese Nordprovinzen, zusätzlich aber auch Dalmatien und Pannonien umfaßte, erhielten die Bischöfe von Aquileja um 500 den Patriarchentitel verliehen, der jedoch von Rom lange Zeit nicht anerkannt wurde (er ging später auf Venedig über). Als Patriarchen fühlten sie sich für die gesamten nördlichen und östlichen Gebiete des Ostgotenreichs zuständig, also auch für Dalmatien und die pannonische Tiefebene.[14]

Karl d. Gr. hat 796 und dann endgültig 811 nach der Errichtung der neuen Metropole Salzburg die Gebiete nördlich der Drau von Aquileja (wieder) getrennt. Der neuen Metropole unterstanden die von Bonifatius in ihren Grenzen festgelegten Diözesen Regensburg – ihr, der spätantiken Ecclesia Reginensis, unterstand einst das gesamte

Gebiet des agilolfingischen Herzogtums Baiern –,[15] ferner Freising, Passau, Neuburg im Staffelsee[16] und Säben (Sabiona).[17] Die beiden zuletzt genannten Diözesen haben sich in der Ostmission, soweit wir wissen, nicht hervorgetan.

Ein frühes Zeugnis für die Missionstätigkeit von Bischöfen und Priestern aus dem Patriarchat Aquileja in den von Awaren und Slaven eroberten, einst römischen Provinzen östlich dieser Metropole bildet eine lateinische Evangelien-Handschrift des 5./6. Jahrhunderts, der Codex Forojuliensis, der sich zuletzt in einem Kloster in Cividale befand und heute im dortigen Museum aufbewahrt wird.[18] Wie die darin sich findenden Perikopen-Notizen zeigen, war das Buch lange in liturgischem Gebrauch.[19]

Sein Text des Markus-Evangeliums galt damals als Autograph des Evangelisten. Daher wurde dieser Teil des Codex von den Gläubigen besonders verehrt, was sie durch Eintragungen ihres Namens kundtaten. Unter den Eintragungen befinden sich zahlreiche slavische Eigennamen, was darauf schließen läßt, daß deren Träger Aquileja als kirchliche Metropole angesehen und deshalb hierher gekommen waren.[20]

In diesem Zusammenhang ist wichtig, daß auch die Slavenapostel schon bald nach Beginn ihrer Missionstätigkeit nach Aquileja gingen, vielleicht um ihre Schüler hier weihen zu lassen, vielleicht waren sie aber auch dorthin zitiert worden, um sich für ihre liturgischen Neuerungen, so die Verwendung der slavischen Sprache im Gottesdienst, zu rechtfertigen.[21]

Aus früher Zeit ist der Name eines Missionsbischofs aus Aquileja, eines Marcianus († 588), bekannt. Dieser hat, wie seine Grabinschrift im Dom zu Grado (bei Aquileja) aussagt, 43 Jahre im Bischofsamt gelebt, davon 40 Jahre außerhalb der engeren Grenzen des Patriarchats (peregrinatus est pro causa fidei).[22] Wo Marcianus im einzelnen gewirkt hat, ob in Rätien, Norikum oder Pannonien, wird leider nicht gesagt.

In der Nachfolge der Missionstätigkeit Aquilejas in den nördlich der Drau gelegenen Gebieten haben von den bairischen Diözesen Regensburg die Seelsorge in Böhmen, Passau die in Mähren sowie Salzburg und Freising die in Kärnten und Pannonien übernommen, während das Patriarchat in der Hauptsache nur die ehemaligen Provinzen Savia und Dalmatia behalten hat.[23]

Ein eigentlicher Rechtstitel für diese Missionsarbeit[24] war nicht vorhanden, weshalb es möglich war, daß Papst Hadrian, ohne die bairischen Bischöfe zu fragen, Method als seinen Legaten in diese Region schicken konnte, zumal diese offiziell immer noch dem römischen Patriarchen unterstanden hat.

Es handelte sich um ein Gebiet, in dem seit der Einwanderung der Awaren und Slaven die alten kirchlichen Ordnungen weitgehend aufgehört haben, wenn es auch immer noch zahlreiche Christen gab. So hat Bischof Korbinian von Freising († 725), als er die einstige römische Provinz Valeria besuchte, von hier ein Evangeliar nach Freising mitgebracht (heute in München, Clm 6224).[25] Dieses kostbare Buch war im 6. Jahrhundert, noch vor dem Einfall der Awaren, geschrieben, wohl in Sirmium selbst, wie die Perikopen-Angabe »In Timothei et septem (virginum)« – es handelt sich um Heilige von Sirmium – von erster Hand nahelegt.[26]

Die Schmuckseite der Handschrift befindet sich eigenartigerweise am Schluß; sie zeigt ein Gemmen-Kreuz mit den Buchstaben Alpha und Omega, jedoch seitenverkehrt. Oben ist Christus als Brustbild dargestellt, mit seiner Linken, statt mit der Rechten segnend. Auch hier also eine spiegelbildartige Darstellung![27] Damit soll wohl gesagt sein, daß Christus das (Spiegel-)Bild des Vaters ist (vgl. Kol 1,15). Wieweit arianische Überlieferung in der Ausstattung der Handschrift vorliegt, wäre noch zu untersuchen. Im Zentrum des Kreuzes lesen wir EGO VALERIANIS SCRIPSI (Ich, d. h. Christus, habe den Bewohnern von Valeria geschrieben).[28]

Weshalb Korbinian nach Valeria gereist war,[29] darüber schweigen die Quellen. Vermutlich wollte er, ähnlich wie vor ihm die fränkischen Bischöfe Emmeram und Rupert, die jedoch ihr Vorhaben nicht ausführen konnten, den Awaren den christlichen Glauben verkünden. Doch muß er offensichtlich noch umfangreiche Reste der christlich-römischen Bevölkerung vorgefunden haben, die ihm beim Abschied das genannte Evangeliar mitgab, vielleicht um es vor dem Zugriff der Eroberer zu retten.

Einige Jahrzehnte nach Korbinian hat sich Bischof Virgil von Salzburg um die Einführung des Christentums bei den Alpenslaven bemüht.[30] Besondere Verdienste um die Missionierung der Awaren und Slaven hat sich aber der Baiernherzog Tassilo III (abgesetzt 788) durch die Gründung der Klöster Kremsmünster (Oberösterreich) und Innichen (Osttirol) erworben, die beide an der Grenze zu den von den genannten Völkerschaften eroberten Gebieten lagen. So heißt es in der Innicher Gründungsurkunde, das Kloster sei errichtet worden »propter incredulam generationem Slavorum ad tramitem veritatis adducendam«.[31]

Die Missionstätigkeit des neuen, 798 von König Karl geschaffenen Erzbistums Salzburg umfaßte in erster Linie den pannonischen Raum, wo in Mosapurc (Moosburg – Blatnohrad) ein Salzburger Erzpriester saß.[32] Wahrscheinlich stammt der bei Petöháza gefundene Meßkelch (jetzt im Museum von Sopron-Ödenburg) von einem dieser hier wirkenden Kleriker. Die um den Nodus laufende Inschrift + CVNPALD FECIT nennt wohl den (bairischen) Stifter des Kelches, kaum den Künstler. Es besteht in der Form gewisse Ähnlichkeit mit dem berühmten Tassilo-Kelch, was zusammen mit dem Namen Kunpald auf eine Herkunft aus Baiern hindeutet.[33] Auch die in ihren Fundamenten ausgegrabenen Kirchenbauten im Großmährischen Reich gehen deutlich auf bairische Vorbilder zurück.[34]

Über die Salzburger Missionstätigkeit berichtet eingehend die Schrift »Conversio Bogoariorum et Carantanorum«, die möglicherweise für den Method-Prozeß zusammengestellt wurde[35] und in der es diesbezüglich gegen Schluß heißt: ». . . usque dum quidam Graecus Methodius nomine noviter inventis sclavinis litteris linguam Latinam doctrinamque Romanam atque litteras auctorales Latinas philosophice superducens vilescere fecit cuncto populo ex parte (Sclavorum) missas et evangelia ecclesiasticumque officium illorum qui hoc Latine celebraverunt.«[36]

Es wird auf diese Stelle im 2. Kapitel, wo es um liturgiegeschichtliche Zusammenhänge geht, näher eingegangen werden.

Für die Missionierung der Awaren und Slaven hatte zuvor schon Bischof Arn von Salzburg († 821) – ihm war von Karl d. Gr. nach seinem Sieg über die Awaren 796 dazu ein direkter Auftrag erteilt worden – einen »Ordo de catechizandis rudibus« verfaßt.[37] Andere bairische Diözesen gaben damals ähnliche Handbücher heraus, so die Mönche von St. Emmeram in Regensburg ein solches mit dem Titel »Ratio de catechizandis rudibus«.[38]

Das der Diözese Regensburg zugeteilte Missionsland war, wie gesagt, in erster Linie Böhmen.[39] Als erste Frucht der Tätigkeit Regensburger Kleriker darf die Taufe von 14 böhmischen Adeligen mit ihrer Dienerschaft (duces cum hominibus) am Oktavtag von Epiphanie 845 gelten, von der die Annales Fuldenses berichten.[40] Die Taufe hat mit großer Wahrscheinlichkeit in Regensburg selbst stattgefunden.[41]

Ein wichtiges Zeugnis für die frühe Regensburger Mission, wie sie vermutlich vom Kloster St. Emmeram ausging, kann der sonst nicht weit verbreitete Kult des heiligen Emmeram, oder wie er in Böhmen heißt, »Jimram« (aus Haimrham), gelten, von dem mehrere Patrozinien zeugen. So weiht 830 Erzbischof Adalram von Salzburg als Metropolit der bairischen Kirchenprovinz in Neutra (Nitra, Südmähren – heute Slowakei) eine Kirche »in honorem sancti Emmerammi«. Als Salzburger Oberhirte hätte er keine Veranlassung für die Wahl dieses Patroziniums gehabt, wenn der Kult des Heiligen nicht schon zuvor hierher gebracht worden wäre. Noch im 12. Jahrhundert gilt Emmeram als Patron des böhmischen Volkes (pater et protector noster).[42]

Direkte Zeugnisse der Regensburger Mission in Böhmen sind liturgische Handschriften aus dieser Zeit, die noch heute in Prager Bibliotheken aufbewahrt werden. Zu diesen gehören Reste eines gegen Ende des 8. Jahrhunderts in Regensburg geschriebenen Psalteriums (Universitätsbibliothek, F. 22), ferner ein Homiliar mit bairischen Glossen und einer slavischen Federprobe des 11. Jahrhunderts (Metropolitanbibliothek, A. CLVI), sowie ein weiteres Homiliar (ebenda, A. CXXX) aus der Mitte des 9. Jahrhunderts.[43]

Am bedeutungsvollsten ist ein Meßbuch, das sogenannte Prager Sakramentar (Metropolitanbibliothek, O. LXXXIII). Diese in den letzten Regierungsjahren des Herzogs Tassilo in Regensburg geschriebene Handschrift stellt ein »Gelasianum« dar,[44] von dem noch weitere Zeugen des gleichen Typus aus Baiern erhalten sind.[45] Es ist noch unbeeinflußt von der karolingischen Renaissance, wo man wieder auf die klassische Schreibweise zurückgegriffen hat. Daß sich außerdem im Text zahlreiche sinnstörende Fehler finden, mag mit der Grund dafür gewesen sein, warum man bereits einige Jahrzehnte später die Handschrift in Regensburg nicht mehr verwendet und sie, da überzählig, einem nach Böhmen ziehenden Missionar mitgegeben hat.

Das Meßbuch war auch seinem Typus nach im 9. Jahrhundert bereits veraltet, da dieser inzwischen einem neuen, dem Gregorianum bzw. einem in Aquileja nach 700 ausgebildeten Sakramentar weichen mußte. Von letzterem finden sich bereits Einflüsse im genannten Prager Meßbuch, vor allem hinsichtlich der »Orationes et missae dominicales cotidianae Gregorii papae« (Nr. 232 ed. Dold-Eizenhöfer). Es sind auch Fragmente zweier Handschriften des reinen Aquileja-Typus aus Baiern erhalten, ebenso des Gregorianum.[46]

Daß Böhmen der Jurisdiktion der Regensburger Bischöfe unterstand,[47] zeigte sich nicht zuletzt bei der Errichtung des Bistums Prag 973 unter Bischof Wolfgang,[48] der aus seelsorgerischen Gründen der Errichtung zugestimmt und auf seine bisherigen Rechte in Böhmen verzichtet hat. So waren noch unter einem seiner Vorgänger, dem Bischof Tuto (894–930), Abgesandte böhmischer Adeliger gekommen, um die »licentia« zum Bau einer Kirche einzuholen.[49]

Es war der Regensburger Kirche, wie es scheint, in relativ kurzer Zeit gelungen, Böhmen so weit zu christianisieren, daß schon in der 2. Hälfte des 10. Jahrhunderts mit Bischof Dietmar, der fließend Slavisch sprach,[50] eine selbständile Kirchenorganisation errichtet werden konnte und nach diesem 983 sogar ein Tscheche, nämlich Wojtach, der sich später Adalbert nannte, die Kathedra von Prag besteigen konnte.

Der ottonischen Reichspolitik entsprechend wurde die neue Diözese aus dem Salzburger Metropolitanverband gelöst und dem Erzbistum Mainz unterstellt. Dies verhinderte jedoch weitere kirchlich-kulturelle Beziehungen zwischen Regensburg und Böhmen in keiner Weise. So wurde z. B. ein Sohn des Böhmenherzogs Boleslav II mit Namen Ulrich am bairischen Herzogshof erzogen.[51]

Im Bistum Prag war die römische Liturgie, wie sie von Regensburg aus Eingang gefunden hatte, in Gebrauch und zwar in Latein.[52] Durch einzelne 885 nach hier geflohenen Method-Schüler ist der Gottesdienst an verschiedenen Orten auch in slavischer Sprache gefeiert worden, so u. a., wie die 1855 von Höfler entdeckten Prager Fragmente aus dem 11. Jahrhundert zeigen, im Kloster Sassau (Sázava, Mittelböhmen).[53]

Es handelt sich bei den Prager Fragmenten um zwei Blätter; das eine enthält Teile eines Kalendars, das die liturgischen Tage von »In medio Pentecosten« (in der Mitte der Osterzeit) bis Mariä Entschlafung (15. August) notiert. Die hier vorliegende Ordnung entspricht nicht dem byzantinischen Brauch, sondern geht auf den frühen Ritus von Aquileja zurück, wie er in Perikopenlisten aus dem Patriarchat zu erkennen ist.[54] Das andere Blatt beinhaltet slavische Gesänge, die sich rituell nicht sicher einordnen lassen.[55]

In diesem Zusammenhang zu erwähnen ist auch das wenig bekannte Wertheimer Fragment eines glagolitischen Voll-Missale (nach römischem Ritus) aus dem 14. Jahrhundert. Das Doppelblatt ist aus Böhmen (Kloster Emmaus) später nach Wertheim am Main gekommen. Die ehemalige Handschrift könnte in Dalmatien geschrieben sein.[56] Ferner das älteste tschechische Bittlied »Hospodine pomiluj ny« von einem unbekannten Verfasser, das als ein Auszug aus der Allerheiligen-Litanei ebenfalls dem lateinischen Liturgiebereich angehört. Ob das Lied mit der Mission der Slavenlehrer zusammenhängt, ist nicht sicher;[57] eine Autorschaft des zweiten Bischofs von Prag, des heiligen Adalbert, ist nach Mareš jedenfalls nicht auszuschließen.[58]

Was die Diözese Passau betrifft, so wissen wir von einem Versuch der Missionsarbeit unter den Bulgaren durch Bischof Hermanrich, der von König Ludwig dem Deutschen 866 mit mehreren Priestern und Diakonen nach Bulgarien geschickt worden war. Zuvor waren Abgesandte vor Ludwig erschienen, die im Namen des Königs der Bulgaren Boris um Glaubensboten (praedicatores christianae religionis) gebeten hatten. Dem Bischof Hermanrich waren jedoch römische Kleriker, um die Boris zur gleichen Zeit gebeten hatte, zuvorgekommen, sodaß dieser wieder unverrichteter Dinge umkehren mußte. Bekanntlich hatten auch römische Missionare bei den Bulgaren keinen Erfolg.[59]

Daß Passau das östlich der Enns gelegene Land der Awaren bis ins 10. Jahrhundert als sein Missionsgebiet betrachtet hat, zeigt u. a. die Tatsache, daß der damalige Passauer Bischof den heiligen Wolfgang, bis dahin noch Mönch in Einsiedeln, der sich um 971 zu einer offensichtlich schlecht ausgerüsteten Missionsreise nach Pannonien aufgemacht hatte, zurückrufen und zu sich zitieren konnte.[60]

Passau hat die Tradition der spätrömischen Diözese Lauriacum fortgeführt, deren Gebiet einst ganz Ufer-Norikum umfaßt hat, später aber bis zur Enns von den Awaren erobert wurde. Aus diesem Grund hat schon zu Beginn des 8. Jahrhunderts Bischof Vivilo wegen der unmittelbaren Nähe seines Bischofsitzes zu den Awaren

Lauriacum verlassen und war nach Passau übergesiedelt. Er hatte die Weihe in Rom erhalten und war deshalb, im Gegensatz zu den übrigen bairischen Oberhirten, von Bonifatius bei der Neuordnung der Diözesen 739 nicht abgesetzt worden. Die späteren Bischöfe von Passau fühlten sich weiterhin für die Seelsorge im östlich von Lauriacum-Lorch gelegenen Awaren-Gebiet zuständig.[61]

Von der Missionstätigkeit der Diözese Freising zeugen die berühmten Freisinger Denkmäler (im Clm 6426),[62] die unter Bischof Abraham (957–993/4) niedergeschrieben wurden,[63] aber älter sein dürften.[64] Sie enthalten in slavischer Sprache, aber in lateinischer Schrift ein Beichtgebet, außerdem ein solches für die allgemeine Beicht (nach dem Evangelium an den Sonntagen), nahe verwandt mit einer damals weitverbreiteten bairischen Formel,[65] und schließlich eine Homilie über die Beichte, an die eine solche des Methodius-Schülers Klemens (Kliment) anklingt.[66]

Da diese für die Seelsorge unter den Slaven bestimmten Texte allem Anschein nach schon vor Bischof Abraham verwendet wurden, taucht die Frage auf, in welchem Zentrum sie ins Slavische übertragen wurden. Zagiba denkt an das Kloster St. Emmeram in Regensburg, zumal diese alte Herzogstadt, in der im 9. Jahrhundert die Karolingerkönige mit Vorliebe residierten, damals einen kulturellen Mittelpunkt darstellte.[67]

Im gleichen Kloster könnte auch das mit einem Text der Freisinger Denkmäler nahe verwandte althochdeutsche sogenannte St. Emmeramer Gebet[68] übersetzt worden sein. Es taucht im glagolitischen Euchologium Sinaiticum[69] mitten unter Rituale-Formeln des byzantinischen und lateinischen Ritus auf.[70] Die slavische Fassung dieser Formel dürfte der Redaktor des Euchologiums, allem Anschein nach Method selbst, der kaum Bairisch gesprochen hat und sie daher auch nicht übersetzen konnte, als ein Zeugnis der frühen bairischen Mission vorgefunden und sie später in das genannte Liturgiebuch aufgenommen haben.

Zagiba weist in diesem Zusammenhang auf den St. Emmeramer Mönch Boso hin, der mit der Leitung der Slavenmission bei den Lausitzer Sorben beauftragt war und 970 in Baiern starb. Über seine Tätigkeit besitzen wir einen Bericht des Bischofs Thietmar von Merseburg, in dem es u. a. heißt: »Um die ihm anvertrauten Seelen umso leichter unterrichten zu können, hatte er eine Anweisung in slavischer Sprache geschrieben.«[71] Es dürften demnach im genannten Kloster in Regensburg einige Mönche die slavische Sprache beherrscht und die für die Seelsorge unter den Slaven notwendigen Texte übersetzt haben.

So viel zur Ostmission der Diözesen Salzburg, Regensburg, Passau und Freising. Auf liturgische Fragen wird im folgenden Kapitel näher eingegangen werden.

Um eine endgültige Abgrenzung des Einflußgebiets der bairischen Kirchen zum Osten hin, vor allem nach der gescheiterten Mission bei den Bulgaren, dürfte es bei den Gesprächen mit den beiden Gesandtschaften des byzantinischen Kaisers Basilius (867–886) gegangen sein, die dieser im Januar 872 und dann im November 873 zu König Ludwig nach Regensburg geschickt hatte.

An der Spitze der zweiten Gesandtschaft stand Agathon, der neue byzantinische Erzbischof von Sirmium. Dieser war kurz zuvor vom Patriarchen Ignatios von Konstantinopel, wohl im Zusammenhang mit der 870 erfolgten Absetzung Methods, ernannt worden. Die einstige römische Diözese Illyricum orientale war damit für das römische Patriarchat endgültig verloren.[72]

Method selbst unterstand als Erzbischof von Mähren weiterhin direkt dem Papst in Rom; er war aber zugleich unter der Kontrolle der bairischen Bischöfe. Diese hatten in Rom erreicht, daß ihm im Schwaben Wiching als Bischof von Neutra ein lateinischer Suffragan an die Seite gegeben wurde.[73]

In der Folge gewannen die bairischen Bischöfe erneut an Einfluß. Nach dem Tode Methods 885 wurden dessen Schüler aus dem Lande vertrieben. Ein Teil ging bekanntlich nach Bulgarien, ein anderer nach Dalmatien, einige auch nach Böhmen. Nach der Vernichtung des Großmährischen Reiches durch die Magyaren um 907 ist vermutlich die kirchliche Organisation, nicht aber das dortige Christentum zugrunde gegangen.[74] Erst der endgültige Sieg 991 über die Eroberer führte wieder zu einem dauerhaften Frieden in dieser Region.

II

Ein bedeutendes, wenn auch indirektes Zeugnis für die Ostmission von Klerikern aus dem Patriarchat Aquileja (in seinen alten Grenzen vor Karl d. Gr.) bildet ein kleines Meßbuch, die Kiewer Blätter, so genannt, weil diese jetzt in der Ukrainischen Akademie der Wissenschaften (früher geistlichen Akademie) in Kiew aufbewahrt werden. Zuvor dürften sie sich in der Patriarchatsbibliothek von Jerusalem oder im Katharinenkloster am Sinai gelegen haben.[75] Das Meßbuch könnte (nach Meinung von Tkadlčik) noch aus dem 9. Jahrhundert stammen.[76]

Es besteht aus einer Lage von 4 Doppelblättern, die in glagolitischer Schrift beschrieben sind und fortlaufenden Text zeigen. Die erste Seite und das ganze letzte Blatt waren als Deckblätter ehedem unbeschriftet. Es handelt sich demnach nicht, wie man annehmen könnte, um das Bruchstück einer größeren Handschrift,[77] sondern um einen Libellus. Er beinhaltet 10 Meßformulare, die aus einem lateinischen Sakramentar ins Slavische übersetzt worden sind.

Die Texte beginnen auf fol. 1v mit einem Formular für das Fest des heiligen Klemens am 23. November – von diesem Papst haben bekanntlich die heiligen Brüder Reliquien aus dem Chersones mitgebracht[78] und bei ihrem Besuch in Rom dem Papst geschenkt –, gefolgt von einem Meßformular für die am gleichen Tag gefeierte Märtyrerin Felicitas.

Texte für weitere Heiligenfeste sind in unserem Libellus nicht vorhanden. Dafür finden sich am Schluß desselben (fol. 6v–7v) zwei allgemeine Formulare (Commune-Messen) für Heiligenfeste, nämlich eine »Messe von den Märtyrern« und eine »Messe von allen himmlischen Mächten«.

Den Hauptteil des Libellus bilden 6 »Messen für alle Tage des ganzen Jahres«, wie die Überschrift lautet. Sie bestehen aus jeweils 3 Orationen (Kollekte, Sekret und Postkommunio) sowie einer Präfation. Die Vorlage der genannten Formulare sowie der Messen für die genannten Heiligengedenktage finden sich, was bereits P. Siffrin im Wesentlichen erkannt hat[79] und ich eingehend nachgewiesen zu haben glaube, nur in lateinischen Sakramentaren, wie sie innerhalb der alten Grenzen des Patriarchats Aquileja in Gebrauch waren. Sie haben als typisch für den dortigen Ritus ab 700 zu gelten.[80]

Zu den Eigenheiten des genannten Sakramentartypus gehören gerade unser Klemens- und Felicitas-Formular sowie die »Messen für alle Tage des Jahres«, oder wie sie in der lateinischen Vorlage heißen, »Orationes cottidianae Gregorii Papae«. Auffällig ist, daß die in den lateinischen Handschriften vorhandene 7. Messe, mit welcher der Canon missae verbunden ist,[81] in unserem Libellus fehlt. Dies läßt darauf schließen, daß der Übersetzer diesen offensichtlich unübersetzt lassen wollte, wahrscheinlich deshalb, weil er damals im Gegensatz zur Präfation, vom Priester nur leise gesprochen und daher von den Gläubigen nicht gehört wurde.[82] Eine Übertragung in die Volkssprache schien daher nicht notwendig zu sein.

Wer war nun der Übersetzer der Kiewer Blätter? Es wird weithin angenommen, daß es die heiligen Slavenlehrer selbst waren, zumal die Conversio Bogoariorum et Carantanorum, wie erwähnt, berichtet, Method habe neben »evangelia« (gemeint ist wohl ein Evangelistar = ein Buch mit den Evangelien-Perikopen des Jahres)[83] und dem »ecclesiasticum officium« (Texte für das Stundengebet) auch »missas« in die slavische Volkssprache übersetzt und im römischen Ritus verwendet. Ähnlich heißt es in der Vita Methodii c. 15: »Zusammen mit dem Philosophen (Konstantin) hatte er (schon zuvor) nur den Psalter sowie das Evangelium mit dem Apostel und ausgewählte kirchliche Offizien . . . übersetzt.«[84]

Ein weiterer Hinweis auf die Slavenlehrer als Übersetzer bildet eine Sentenz aus dem Beginn (Ante-Sanctus) der Chrysostomus-Anaphora, die in einer dieser Präfationen erscheint[85] und die keinerlei Gegenstück in der lateinischen Vorlage aufweist. Sie lautet: »Du (bist unser Leben, denn du) hast uns aus dem Nichts ins Dasein gerufen und als wir gefallen waren, wieder aufgerichtet.«[86] Diese Einfügung konnte nur ein Kenner der byzantinischen Liturgie vornehmen.

Die Einfügung zeigt außerdem, daß der Übersetzer sich Freiheiten herausgenommen hat; vielleicht hat er auch die lateinische Sprache nicht vollkommen beherrscht.[87] So übersetzte er die Kollekte der 4. Messe frei wie folgt: »Schaue voll Erbarmen, o Herr, auf unser Reich und laß nicht zu, daß unser Eigentum den Fremden überliefert wird, noch wir zum Raub heidnischer Völker werden. Durch Christus, unsern Herrn, der mit dem Vater und dem Heiligen Geist herrscht . . .«[88]

Als sicher darf jedenfalls gelten, daß in den Kiewer Blättern die

Abschrift eines Meßlibellus vorliegt, der nach einer lateinischen Vorlage übersetzt wurde. Diese stammt aus dem Raum Aquileja-Salzburg und war bereits vor der Ankunft der Slavenlehrer durch westliche Kleriker in das slavische Missionsgebiet gelangt. Somit stellt unser Libellus ein wichtiges Zeugnis für die Missionsarbeit Aquilejas und der bairischen Diözesen im awarisch-slavischen Raum dar.

Ob das kleine Fragment (ein Doppelblatt) eines weiteren glagolitischen Sakramentars aus dem 11. Jahrhundert (in Wien, Cod. slav. 141)[89] ebenfalls auf die Übersetzungstätigkeit Methods bzw. seines Bruders zurückgeht, läßt sich nicht mehr ausmachen. Jedenfalls gehört es, was seine lateinische Vorlage betrifft, einem etwas anderen (jüngeren) Sakramentar-Typus als die Kiewer Blätter an (vgl. das nächste Kapitel).[90]

Das Doppelblatt beinhaltet 2 Commune-Messen für das Gedächtnis mehrerer Apostel (letztere mit einer in lateinischen Quellen nicht nachweisbaren, eigenartigen Präfation) sowie den Anfang einer Messe zum Gedächtnis nur eines Apostels. Das Fragmentblatt bricht in diesem Formular mit der Epistel (1 Kor 4,9–16) ab. Vermutlich folgte einst auch die entsprechende Evangelien-Perikope. Die lateinische Vorlage bildete demnach ein Sakramentar-Lektionar, wie es u. a. in einem Fragment des 8. Jahrhunderts in Zadar vorliegt.[91]

Die Frage, nach welchem Ritus Konstantin und Method außerhalb des Patriarchats von Byzanz die Messe gefeiert haben, hat die Gemüter der Slavisten schon immer bewegt. Sicher geschah dies gelegentlich auch nach ihrem heimatlichen (byzantinischen) Ritus, so vermutlich zu Beginn ihrer Missionstätigkeit in Mähren, waren sie doch als Abgesandte des byzantinischen Kaisers bzw. des Patriarchen hierher gekommen. Auch in (den byzantinischen Klöstern in) Rom könnten sie nach diesem Ritus zelebriert haben.[92] Ebenso hat Method, obwohl er ein vom Papst geweihter und ihm direkt unterstehender Erzbischof war, als er gegen Ende seines Lebens in seiner Heimat Thessaloniki das Fest des heiligen Dimitrios feierte (vgl. Vita Methodii c. 15), zweifellos den dortigen Ritus benützt.

Erhalten ist jedenfalls eine, wie es scheint, auf die beiden Brüder zurückgehende slavische Übersetzung der Chrysostomus- und Basilius-Liturgie teilweise in Fragmenten aus dem 11. Jahrhundert, die zusammen mit dem oben genannten Euchologium Sinaiticum in den

Jahren 1850–80 im St. Katharinenkloster am Sinai gefunden worden sind (Sinai-Fragmente).[93]

Während ihrer Missionstätigkeit im Großmährischen Reich dürften sich Konstantin und Method in der Regel an die lateinischen Gewohnheiten gehalten haben, wie sie hier schon vor ihnen und zu ihrer Zeit die Priester aus dem Patriarchat Aquileja und den bairischen Diözesen beobachtet haben. Keinesfalls aber haben die Slavenlehrer, wie verschiedentlich angenommen wird, die sogenannte Petrus-Liturgie gekannt und verwendet.

Zu dieser Annahme kam es wegen eines Mißverständnisses bezüglich der Stelle in der Vita Methodii c. 11, wo es heißt: »Als die Messe – das ist die Liturgie – des heiligen Petrus näherrückte . . .« Man bezog dies auf die Petrus-Liturgie, wobei vor allem der Zusatz »das ist die Liturgie« in Verbindung mit »des heiligen Petrus« die Forscher in die Irre führte.[94] Dieser Zusatz will jedoch, ähnlich wie in c. 10 der Vita Methodii, nur dem russischen Leser – alle Handschriften stammen aus Rußland – das im Text gebrauchte, ihm nicht geläufige Wort »Messe« erklären. Neben anderen Wörtern aus dem Lateinischen hatte es in die von den beiden Brüdern geprägte slavische Sprache Eingang gefunden.[95]

Bei der Petrus-Liturgie handelt es sich um einen byzantinischen (griechischen) Meßordo, in dem ein für den römischen Ritus bestimmter Meßlibellus, der für die Priester im Griechisch sprechenden Süditalien (und in Dalmatien) in zwei Sprachen, nämlich in Griechisch und Lateinisch, gehalten war, in den Rahmen der byzantinischen Meßfeier an die Stelle der Chrysostomus- bzw. Basilius-Anaphora eingefügt wurde.[96]

Größere Teile des genannten römischen Meßlibellus sind in 2 Handschriften des 10. Jahrhunderts erhalten, die zeigen, daß dieser neben Orationen für eine »Missa canonica« ausschließlich den Canon missae zum Inhalt hatte. Sein Titel lautet: »Die lateinische Liturgie des heiligen Gregor des Dialogen.«[97]

Die heute nicht mehr verwendete griechische Petrus-Liturgie kann in der Vita Methodii an der zitierten Stelle schon deshalb nicht gemeint sein, da sie im 9. Jahrhundert allem Anschein nach noch gar nicht ausgebildet war. Die ältesten handschriftlichen Zeugnisse stammen erst aus dem 11. Jahrhundert; sie kommen ausschließlich aus Süditalien. Da die einzelnen Fassungen voneinander abweichen, kann man daraus schließen, daß es kein gemeinsames Urexemplar aus der Zeit der Slavenlehrer gegeben hat. Man dürfte vielmehr erst ab dem 10. Jahrhundert damit begonnen haben, die byzantinische Liturgie mit dem römischen Meßkanon zu verbinden, wie er in den oben genannten Meßlibelli vorlag.[98]

Diese wenig glückliche Verbindung beider Riten in der Petrus-Liturgie war in den Griechisch sprechenden, aber zum römischen Patriarchat gehörenden Gebieten Süditaliens erfolgt, wie auch darin regelmäßig für den Papst und nicht für den byzantinischen Patriarchen gebetet wird.

Die Petrus-Liturgie war in Süditalien bis ins 18. Jahrhundert üblich.[99] Ihre Redaktion geschah vermutlich auf Drängen Roms. Jedenfalls fiel dadurch die für das östliche Meßverständnis charakteristische und von den Lateinern abgelehnte Geist-Epiklese weg. Eine Ausnahme bildet allein der späte Cod. Ottob. gr. 384 aus Süditalien (Basilicata), wo diese, unmittelbar nach dem Einsetzungsbericht und noch vor der Anamnese, eingefügt ist.[100]

Die Petrus-Liturgie wurde in späterer Zeit vereinzelt auch außerhalb Süditaliens und Dalmatiens gebraucht und hat Übersetzungen ins Slavische (in einer späten Handschrift des 18. Jahrhunderts),[101] ferner ins Georgische und Armenische erfahren. Das Vorhandensein einer slavischen Übersetzung hat mit zu der Annahme beigetragen, Konstantin und Method hätten die Petrus-Liturgie gekannt und benützt. Dies ist jedoch aus den genannten Gründen auszuschließen.[102] Unter »Messe des heiligen Petrus« ist in der Vita Methodii ohne Zweifel die Festmesse am 29. Juni, also das Fest des heiligen Petrus, »das näherrückte«, gemeint.

Die Übersetzung lateinischer Liturgietexte ins Slavische war im 9. Jahrhundert innerhalb der abendländischen Kirche ein absolutes Novum – dagegen gab es, wie gesagt, eine Übersetzung des römischen Ritus ins Griechische –, während dem Gebrauch der Volkssprache im Gottesdienst nach östlichem Verständnis nichts im Wege stand und steht.[103]

Dem Papst Hadrian, der die beiden Brüder 867 nach Rom eingeladen hatte, war daran gelegen, daß das seit Konstantins Zeiten zum Patriarchat von Rom gehörenden Gebiet der ehemaligen Präfektur Illyricum nicht an Byzanz verlorengehe. Daher hat er schließlich nach langen Verhandlungen, bei denen Anastasius Bibliothecarius und Arsenius beteiligt waren und in denen die beiden Brüder die römischen Behörden von der Notwendigkeit und Berechtigung ihrer Maßnahme überzeugen konnten, in der Bulle »Gloria in excelsis deo« die Verwendung der slavischen Sprache im Gottesdienst gebilligt, doch sollten die Lesungen zuvor in Latein vorgetragen werden.[104]

Die Nachfolger Hadrians haben diese Erlaubnis teils noch mehr eingeschränkt, teils ganz aufgehoben. So überreichte ein päpstlicher Legat dem Erzbischof Method 879 ein Schreiben, in dem es u. a. heißt: »Audivimus etiam, quod missas cantes in barbara hoc est in sclavonica lingua.« Nachdem sich Method abermals in Rom rechtfertigen konnte und von Papst Johannes VIII, der an sich dem Erzbischof wohlgesinnt war, durch die Bulle »Industriae tuae« erneut die Erlaubnis zum Gebrauch der slavischen Sprache bei der Meßfeier,[105] wenn auch mit Einschränkungen, erhalten hatte, wurde nach seinem Tod (885) diese Praxis von Papst Stephan VI (885–896) schon bald wieder verboten.[106]

Von der Übersetzungstätigkeit der Slavenlehrer zu unterscheiden ist die im Zusammenhang mit der Missionierung der Bulgaren, die sich inzwischen dem Patriarchen von Konstantinopel unterstellt hatten, geschaffene (vollständige) Übersetzung der Heiligen Schrift und der byzantinischen Liturgiebücher ins Slavische, wie sie unter Leitung Methods vor allem von dessen Schülern vorgenommen wurden.[107]

Beide Tätigkeiten unterscheiden sich rein äußerlich durch die ihnen zugrundeliegende Schriftart, nämlich die glagolitische auf der einen und die kyrillische auf der anderen Seite. So sind auch bis in die jüngste Vergangenheit die römischen Missalien in slavischer Übersetzung in glagolitischer Schrift gehalten.[108] Wenn diese in Dalmatien gebrauchten Meßbücher mit Sicherheit auch nicht von Method redigiert wurden, so gehen diese doch letztlich auf die Tätigkeit der beiden Slavenlehrer und deren Bemühen um die Verwendung der Volkssprache im Gottesdienst zurück.

Anhang:
Das Fragment eines glagolitischen Sakramentars in Wien

Im Gegensatz zu den Kiewer Blättern hat das Doppelblatt eines glagolitischen Sakramentars in der Österreichischen Nationalbibliothek zu Wien (Cod. Slav. 141) wenig Beachtung gefunden, wohl deshalb, weil das Wiener Bruchstück nicht so umfangreich ist als das Kiewer. Es soll im folgenden einer sakramentargeschichtlichen Untersuchung unterzogen werden.

Nach V. Jagić, dem ersten Herausgeber der Blätter,[2] stammt das Fragment aus dem 12. Jh. Es handelt sich um ein Palimpsest, dessen Erstschrift ebenfalls glagolitischen Text zeigt, bis jetzt jedoch noch nicht entziffert ist. Aus sprachlichen Gründen sieht Jagić in Kroatien den Ort der Entstehung des ehemaligen Sakramentars.

Wohl ebenfalls aus Kroatien stammt u. a. ein nach 1300 geschriebenes Fragment eines glagolitischen Meßbuches (Plenar-Missale), das in Wertheim aufbewahrt wird. Es ist von H. Böhm herausgegeben[3] und bereits von J. Hofmann nach seiner lateinischen Vorlage hin untersucht worden.[4] Es genügt deshalb hier seine kurze Erwähnung.

Eine erste sakramentargeschichtliche Untersuchung des Wiener Fragments hat C. Mohlberg in seiner in Note 2 genannten Arbeit unternommen. Während Jagić eine exakte lateinische Übersetzung der Blätter erstellte, versuchte Mohlberg die Frage zu lösen, welches lateinische Sakramentar (Meßbuch) dem Übersetzer ins Glagolitische seiner Zeit vorgelegen hat. Er hat dabei, wie es scheint, im Anhang Alkuins zum gregorianischen Sakramentar[5] die unmittelbare Vorlage gesehen und begnügte sich daher mit einem Hinweis auf die Seiten 180 bzw. 179 der Edition von Wilson.[6]

Dabei hat aber Mohlberg die Tatsache nicht genügend berücksichtigt, daß im 2. Formular des glagolitischen Textes von den Aposteln im allgemeinen, im Anhang Alkuins jedoch vom »beatus apostolus« (Einzahl) die Rede ist. Weiterhin ist nach Mohlberg die 1. Oration des 3. Formulars (Praesta quaesumus omnipotens deus ...) identisch mit der 1. Oration des 2. Formulars, was schon von vornherein wenig wahrscheinlich und nach der lateinischen Rückübersetzung des glagolitischen Textes von Jagić nicht möglich ist.

Eine Bestimmung des Typus der lateinischen Vorlage unseres glagolitischen Fragments könnte der Text der sich im 2. Meßformular findenden Präfation erleichtern, wenn es gelingen könnte von dieser die lateinische Vorlage zu ermitteln. Wenn man die Rückübersetzung von Jagić liest, erkennt man bald, daß als Vorlage unmöglich eine der bekannten lateinischen Präfationen vorgelegen haben kann, wie sie uns in römischen Sakramentar-Handschriften in großer Anzahl entgegentreten. Sprache und Inhalt sind hier ganz anders.

Drei Möglichkeiten bieten sich als Heimat der Präfation an: Aquileja-Salzburg, Benevent und schließlich Sirmium. Aquileja-Salzburg deshalb, weil von hier aus die Missionierung des pannonischen Raumes erfolgt ist und auch die Kiewer Blätter auf ein Sakramentar aus diesen beiden Kirchenprovinzen zurückgehen; Benevent deshalb, weil der Einfluß dieser Metropole in liturgischer Hinsicht um die Jahrtausendwende in den Gebieten Dalmatien-Kroatien, wie erhaltene Handschriften zeigen,[7] bedeutend war; und schließlich Sirmium, weil diese Stadt ehedem die Metropole Pannoniens war. Leider kennen wir jedoch die alte Liturgie von Sirmium nicht.

Auch die in der 3. Messe unseres Fragments auftretende Epistel aus 2 Cor 4,9–16 weist auf eine uns unbekannte Liturgie. Sie findet sich in den erhaltenen Lektionaren, wie mir Rem. Dubois brieflich mitteilte, als Lesung im Commune Apostolorum überhaupt nicht. In der Umgrenzung 4,9–14 kommt sie erstmals im Comes von Leningrad aus dem 8. Jh. als siebente von acht Lesungen vor: »in uigilia unius Confessoris siue martyris.« Da die Heimat des genannten Comes das Kloster Corbie in Frankreich ist,[8] dürften kaum Beziehungen zum Wiener Fragment bestehen, zumal auch – wie erwähnt – Unterschiede in der Umgrenzung der Perikope vorhanden sind.

Wenn man den Inhalt der Präfation und der Lesung betrachtet, fällt auf, daß beide Texte sich auf die Missionierung beziehen: »Ipse namque misi apostolos meos et prophetas ut uerbum euangelii loquerentur ad uos ...« (Präfation), »Nam in Christo Iesu per euangelium ego uos genui« (Epistel). Es sieht so aus, als ob der Text der Epistel direkt Method in den Mund gelegt wird, wenn es hier heißt: »spectaculum facti sumus mundo ...«, »colaphis caedimur ...«, »blasphemamur et obsecramus ...«.[9]

Mehr läßt sich im Augenblick über die lateinische Vorlage des Wiener Fragments, das wir nun im Anhang bringen, nicht aussagen.

Vielleicht daß neue Handschriftenfunde und weitere Erforschung des bereits bekannten Materials eine genauere Deutung ermöglichen. Der Anhang Alkuins zum gregorianischen Sakramentar, mit dem unsere Blätter die größte Ähnlichkeit aufweisen, kann nicht die unmittelbare Vorlage dargestellt haben, da, wie erwähnt, nicht geringe Unterschiede in textlicher Hinsicht bestehen. Außerdem sind die beiden ersten Meßformulare in anderer Reihenfolge angeordnet[10] und diese bei uns (nachweisbar im Fall des 2. Formulars) um eine Präfation vermehrt. Das 3. Formular, dessen erste Oration in dieser Gestalt sonst nicht nachweisbar ist, weist außerdem noch eine Epistel (und ursprünglich sicher auch ein Evangelium) auf.

MISSA APOSTOLORUM

Deus qui nos annua apostolorum tuorum solemnitate laetificas. praesta quaesumus ut quorum gaudemus meritis instruamur exemplis. (per)[11]

SECRETA. Munera domine quae pro apostolorum tuorum sollemnitate deferimus propitius suspice. et mala omnia quae meremur auerte. (per)

POST COMMUNIONEM. Quaesumus domine salutaribus repleti mysteriis. ut quorum solemnia celebramus eorum orationibus adiuuemur. (per)

ALIA MISSA APOSTOLORUM

Quaesumus omnipotens deus ut beati apostoli tuum pro nobis implorent auxilium. ut a nostris reatibus absoluti a cunctis etiam periculis eruamur. (per)

SECRETA. Sacrandum tibi domine munus offerimus quo beatorum apostolorum ([IV]) solemnia recolentes purificationem quoque nostris mentibus imploramus. (per)

PRAEFATIO. *Quando autem pro horribili tribunali sederit dominus cum duodecim apostolis in Ierusalem. ibi apparebit septuaginta gentibus et duabus gentibus ... Tunc incipiet loqui dominus ad illas gentes: O quare non obediistis mandato meo. Ipse namque misi apostolos meos et prophetas ut uerbum euangelii loquerentur ad uos. Quare non obedistis mandato meo. Et ... tristes anxiati ... uidetis* *quam suauis(²¹) sit paradisus ... Nonne autem uidetis quam horribilis sit infernus. ubi tumultuandum est omnibus mendacibus et diabolis in saecula. Ego sum pater et filius et spiritus sanctus sanctus: me adorant angeli et archangeli dominum nostrum.*¹²

POST COMMUNIONEM. Perceptis domine sacramentis suppliciter exoramus. ut intercedentibus beatis apostolis tuis quae pro illorum ueneranda gerimus solemnitate nobis proficiant ad medellam. (per)

MISSA UNIUS APOSTOLI

Praesta quaesumus omnipotens sempiterne deus. ut intercessione beati apostoli tui ill. a cunctis periculis eruamur. (per)

LECTIO EPISTOLAE BEATI PAULI APOSTOLI AD CORINTHIOS (1 Cor. 4,9–16). Fratres. Puto quod deus nos apostolos nouissimos(²ᵛ) ostendit tamquam morti destinatos: quia spectaculum facti sumus mundo et angelis et hominibus. Nos stulti propter Christum. uos prudentes in Christo. Nos infirmi. uos autem fortes. Vos nobiles nos autem ignobiles. Vsque in hanc horam et esurimus et sitimus et nudi sumus et colaphis caedimur et instabiles sumus. Et laboramus operantes manibus nostris. Maledicimur et benedicimus. persecutionem patimur et sustinemus. Blasphemamur et obsecramus. Tamquam purgamenta huius mundi facti sumus. omnium peripsema usque adhuc. Non ut confundam uos haec scribo sed ut filios meos carissimos moneo. Nam si decem milia paedagogorum habeatis in Christo sed non multos patres. Nam in Christo Iesu per Euangelium ego uos genui. Rogo ergo uos: imitatores mei estote sicut et ego Christi.

Das Meßbuch Aquilejas
im Raum der bairischen Diözesen um 800

Es ist noch gar nicht so lange her, da wußte man so gut wie nichts von der frühen Liturgie des Patriarchats Aquileja. Bekannt war lediglich, vor allem durch die Arbeiten von De Rubeis, daß es im Mittelalter einen eigenen »Ritus Patriarchinus« gegeben hat.[1] Dieser ist in den Jahren 1594/95 abgeschafft worden. Vom römischen Ritus hatte er sich nur unwesentlich unterschieden, weit weniger als der »Ritus Ambrosianus« der Nachbar-Metropole Mailand.[2]

Der Grund, warum wir so wenig von der frühen Liturgie des Patriarchats wissen, ist darin zu suchen, daß aus Aquileja selbst oder der Umgebung der Stadt so gut wie keine liturgischen Handschriften bekannt sind, die vor dem Jahr 800 liegen[3] – ein unglücklicher Umstand, der aber für die übrigen Gebiete Italiens ebenso zutrifft, nur daß hier die liturgischen Denkmäler meist noch später einsetzen, so in Benevent erst an der Wende des 10. zum 11. Jh.

Besser liegen in dieser Hinsicht die Verhältnisse im altbairischen Raum. Hier sind aus der Zeit vor bzw. um 800 relativ viele liturgische Handschriften – teils vollständig, teils nur in Fragmenten – überliefert. Diese Meßbuch-Fragmente blieben deshalb erhalten, weil man in den bairischen Klöstern des Spätmittelalters nicht mehr gebrauchte Codices nicht einfach vernichtet, sondern zu Buchbindezwecken benützt hat, vor allem als Vor- und Nachsatzblätter oder als Überzug über die Holzdeckel.

Diese so erhalten gebliebenen liturgischen Zeugnisse bilden nicht nur eine wichtige Grundlage für die Erforschung der frühen Liturgiebücher, sie bilden zugleich eine nicht zu übersehende Quelle für die an Quellen arme bairische Kirchengeschichte des 8./9. Jhs. Sie sind noch lange nicht genügend ausgewertet, gerade auch im Hinblick auf die Beziehungen Baierns zum Patriarchat Aquileja sowie im Hinblick auf die Slavenmission, wie sie von den bairischen Diözesen in Weiterführung der frühen Missionstätigkeit Aquilejas betrieben worden war.

Der altbairische Raum gehörte bis zum Reichstag von Aachen i. J. 810 zum Einflußbereich des Patriarchats Aquileja. So hat Bonifatius, als er i. J. 739 die bairischen Diözesen ordnete, keinen Metropoliten für dieses Gebiet ernannt, einfach deshalb, weil von altersher der Patriarch von Aquileja der Metropolit war. Durch Kaiser Karl wurde i. J. 810 die Drau als die nördliche Grenze Aquilejas bestimmt und die abgetrennten Diözesen, nämlich Säben (heute Brixen), Salzburg, Freising, Regensburg und Passau, dem Erzbischof Arn von Salzburg, einem Vertrauten des Kaisers, als Metropoliten unterstellt.

Während literarische Zeugnisse spärlich sind,[4] bezeugen die ehemalige Zugehörigkeit der genannten Diözesen zum Patriarchat Aquileja neben Ausgrabungen ältester Kirchen[5] vor allem die im altbairischen Raum vor bzw. um 800 geschriebenen Liturgiebücher. Sie sind erst in den letzten Jahrzehnten bekannt geworden.

Bevor wir auf diese Denkmäler im einzelnen eingehen, ist zuerst eine Vollhandschrift zu nennen, die aus dem Gebiet südlich der Drau, also aus dem Kerngebiet des Patriarchats, stammt. Es handelt sich um ein Sakramentar, das um die Mitte des 9. Jhs. in der kaiserlichen Schreibschule Lothars als Prachthandschrift für die Domkirche von Verona geschrieben wurde. Auftraggeber war allem Anschein nach Bischof Ratold von Verona (799–840), ein Freund des karolingischen Königshauses. Der Codex bildete vielleicht das Abschiedsgeschenk für seine Kathedrale, als er sich i. J. 840 an den Bodensee (Radolfszell) zurückzog. Heute wird das Meßbuch in der Kapitelsbibliothek von Padua aufbewahrt und trägt daher den Namen »Sacramentarium Paduanum«.[6]

Der verdiente Sakramentarforscher K. Mohlberg hat den Codex i. J. 1927 unter dem irreführenden Titel »Die älteste erreichbare Gestalt des Liber Sacramentorum . . . der römischen Kirche« herausgegeben.[7] Mohlberg verlegte die Redaktion der Vorlage in die Zeit des Papstes Gregor, näherhin ins Jahr 595.

Vor etwa 30 Jahren habe ich in einer kleinen Arbeit, »Wege zum Urgregorianum« betitelt,[8] nachgewiesen, daß Mohlbergs These falsch ist, daß also im Paduanum keineswegs »die älteste erreichbare Gestalt« des gregorianischen Meßbuchs vorliegt, ja daß es sich gar nicht um ein römisches Liturgiebuch im strengen Sinn handelt. Im Paduanum liegt vielmehr das Sakramentar vor, wie es im 8./9. Jh. im Patriarchat Aquileja in Gebrauch war.

Zu dieser Erkenntnis kam ich erstmals bei einem Besuch der ehrwürdigen Kapitelsbibliothek von Verona, wo ich in zwei dort aufbewahrten Sakramentaren aus der 1. Hälfte des 9. Jhs. nahe

Verwandte des durch das Paduanum vertretenen Meßbuchtypus feststellen konnte. Meine damaligen Untersuchungen habe ich in einem Aufsatz »Sakramentare aus dem Patriarchat Aquileja« niedergelegt.[10]

Das Ergebnis dieser Untersuchung war mit kurzen Worten dies: Bis in die Mitte des 9. Jhs. – in entlegenen Gebieten auch noch darüber hinaus – wurde im Gebiet des Patriarchats Aquileja ein Sakramentar benützt, das dem stadtrömischen Sacramentarium Gregorianum, das von Papst Gregor d. Gr. vermutlich i. J. 592 zusammengestellt worden war, ähnlich, aber nicht mit diesem identisch war.

Wichtigste Unterschiede sind die Einfügung der Sonntagsmessen »per annum« zwischen die Heiligenfeste, wobei ein Ostertermin vom 27. März (Karfreitag 25. März) zugrunde gelegt erscheint;[11] ferner eine Reihe zusätzlicher Präfationen, die z. T. typisch sind, d. h. sich nur in Liturgiebüchern des Patriarchats nachweisen lassen. Auch die Werktags- und Commune-Messen des Paduanum sind in dieser Form in anderen Meßbüchern nicht zu finden.

Des weiteren konnte gezeigt werden, daß das Paduanum keinen ursprünglichen Typus bildet, sondern die Endstufe einer längeren Entwicklung darstellt. Dem Typus nach unmittelbar voraus geht das sog. Salzburger Sakramentar, dessen umfangreiche Reste von A. Dold in den Bibliotheken von Salzburg, München und Wien gefunden und von ihm und mir ediert worden sind.[12] Die ehemalige Handschrift ist nach Meinung von B. Bischoff (München) bald nach 800 im österreichisch-bairischen Alpengebiet entstanden, allem Anschein nach in einem Ort mit dem Patrozinium der hl. Justina von Padua.[13] Die Bibliotheksheimat war zuletzt Salzburg.

Nach dem immer wieder zu beobachtenden Gesetz, daß sich in abgelegenen Gegenden ältere Meßbuch-Typen länger erhalten als im Zentrum – konkret also in Aquileja –, muß das bald nach 800 niedergeschriebene Salzburger Sakramentar als Typus bereits um 700 ausgebildet worden sein. Wir müssen nämlich, was die Zeit des Frühmittelalters betrifft, mindestens 100 Jahre als Zeitraum zwischen der Ausbildung eines Typus in einem kirchlichen Zentrum und der Niederschrift in einem abgelegenen Ort ansetzen.

Kurz vor dem Jahre 700 fand bekanntlich in Aquileja ein Regionalkonzil statt, auf dem das seit dem Dreikapitelstreit andauernde

Schisma einiger oberitalienischer Bischöfe, zu denen auch der Patriarch von Aquileja gehörte, mit Rom beigelegt werden konnte. Die Folge dieser Aussöhnung mit dem Papst dürfte eine stärkere Beeinflussung von seiten der stadtrömischen Liturgie gewesen sein.

Für das Jahr 700 als Zeitpunkt der Redaktion des im Salzburger Sakramentar vorliegenden Typus spricht aber vor allem der Umstand, daß das Gregorianum, das damals zur Redaktion des neuen Meßbuchs von Aquileja verwendet worden war, aufgrund bestimmter Kriterien aus der Zeit kurz vor dem Jahr 700 stammt. Dies hat A. Chavasse deutlich erkannt, wenn er auch andere Schlußfolgerungen aus dieser Beobachtung zieht als ich.[14]

Etwa aus der gleichen Zeit wie das Salzburger Sakramentar – es ist sogar noch etwas älter als dieses – stammt ein Fragment eines weiteren bairischen Meßbuchs, das vermutlich in Regensburg geschrieben ist (um 800). Dieses Fragment ist deshalb besonders interessant, weil es nicht dem älteren Typus des Salzburger Sakramentars, sondern dem etwas jüngeren des Paduanum angehört.[15] Letzterer Typus war bis jetzt nur in einer Handschrift aus der Mitte des 9. Jhs. bekannt gewesen.

Daß dieses vermutlich in Regensburg geschriebene Meßbuch dem Typus des Paduanum angehört, zeigt nicht nur die gleiche Folge der einzelnen Gebete, sondern vor allem auch die Numerierung der Formulare, die in beiden Codices völlig übereinstimmt. Es ist dies ein seltener Fall in der Sakramentargeschichte.[16] Dies bedeutet aber, daß unser bairisches Meßbuch von dem gleichen Urexemplar abstammt wie das (jüngere) Paduanum.

Regensburg war in dieser Zeit um 800 als ehemaliger Sitz der Agilolfinger-Herzöge und zeitweise Residenz des Frankenkönigs Karl (in den Jahren 792/93) die bedeutendste Stadt in Baiern, ja im ganzen ostfränkischen Reich. Es müssen direkte Beziehungen zu Aquileja gewesen sein, die eine so frühe Überbringung eines Sakramentars aus der Adria-Metropole nach Regensburg veranlaßt haben; vor allem, wenn man bedenkt, daß unser Sakramentar-Typus in Verona, das räumlich gesehen dem Zentrum näher lag, erst in der Mitte des 9. Jhs. nachweisbar ist. Bis dahin war in Verona ein anderer Typus in Gebrauch.[17]

Etwa aus der gleichen Zeit, also um 800, stammen Fragmente eines

Pontifikal-Sakramentars, das ebenfalls in Regensburg geschrieben worden sein könnte. Die Blätter liegen heute in den Bibliotheken von Gießen und Marburg.[18] Das ehemalige Liturgiebuch gehörte dem gleichen Typus an wie das Paduanum. Es stellt freilich insofern eine Kürzung dar, als darin nur Formulare für diejenigen Tage zu finden sind, an denen der Bischof selbst den Gottesdienst zu halten pflegte. Die Handschrift ist in schöner Unziale geschrieben, ähnlich der im berühmten Codex Millenarius von Kremsmünster.[19]

Die bisher genannten Meßbücher zeigen die engen Verbindungen an, die in liturgischer Hinsicht um 800 zwischen Aquileja und den bairischen Diözesen bestanden haben. Dabei muß eigens betont werden, daß sich Meßbücher unseres Typus nur innerhalb der Grenzen des Patriarchats nachweisen lassen.[20]

Es gibt aber noch andere Sakramente, die etwas älter sind als die eben genannten und ebenfalls im altbairischen Raum entstanden sind. Diese in der 2. Hälfte oder gegen Ende des 8. Jhs. geschriebenen Meßbücher gehören weder dem Typus der Salzburger Fragmente noch dem des Paduanum an. Sie repräsentieren vielmehr einen älteren Meßbuch-Typus. Dieser ist schon im 6. Jh. ausgebildet worden, näherhin in Ravenna,[21] von wo er schon früh nach Aquileja gelangt ist.

Wir besitzen auch in Baiern noch eine Vollhandschrift dieses Typus. Sie wird jetzt in Prag aufbewahrt und deshalb Prager Sakramentar genannt.[22] Sie ist kurz vor 788, also noch zu Lebzeiten des Herzogs Tassilo, in Regensburg entstanden und wird daher auch Tassilo-Sakramentar genannt.[23]

Erhalten sind ferner Fragmente von weiteren fünf Handschriften, die dem gleichen Typus angehören wie das Prager Sakramentar. Sie stammen alle etwa aus der gleichen Zeit und sind teils in Regensburg, teils in Freising oder in einem anderen bairischen Zentrum geschrieben.[24]

Wie ich in einer eigenen Studie im einzelnen nachweisen konnte, ist in all diesen Zeugnissen bereits der Einfluß des eingangs genannten Sakramentars im Typus des Paduanum bzw. des Salzburger Meßbuchs zu erkennen.[25] So schon in einer Schwester-Handschrift des Prager Sakramentars, die 10 oder 20 Jahre älter ist als dieses.[26] Daraus ergibt sich aber, daß spätestens seit der 2. Hälfte des 8. Jhs. das Meßbuch von Aquileja in Baiern Eingang gefunden hat, wo es einem anderen älteren Typus, der in Ravenna beheimatet war, begegnet ist und diesen allmählich verdrängt hat.

Interessant ist das Schicksal des Prager Sakramentars, soweit wir es verfolgen können. Es wurde, wie gesagt, in den letzten Regierungsjahren des Herzogs Tassilo geschrieben, vermutlich in dessen Schreibschule bei der herzoglichen Pfalz. Von den politischen Veränderungen, die sich nach der Absetzung Tassilos durch König Karl i. J. 788 in Regensburg vollzogen haben, vor allem aber von zweimaligen längeren Aufenthalten des Frankenkönigs in der Donaustadt, zeugen die Namen, die eine etwas spätere Hand noch vor d. J. 794 auf einer leeren Seite vor dem Canon Missae eingetragen hat.[27] Es handelt sich um Personen, die damals im Memento vivorum bzw. Memento mortuorum offiziell genannt wurden.

Den ersten Platz unter den Lebenden bekam König Karl, dann seine Gemahlin Fastrad († 794), seine Kinder Pippin, Ludwig und Rotraud, denen unmittelbar der Name des Regensburger Bischofs Adalwin (792–816) folgt. Bischof Sintbert, sein Vorgänger, steht an zweiter Stelle unter den Toten nach einem gewissen Perchtuni. Ihm folgt der Name eines Priesters Eparoxar, ferner die Namen Reginolf, Naothart, Cundraat, Hootto u. a. Der verstoßene Tassilo fehlt verständlicherweise in diesem Verzeichnis. Sein Name wurde von den Regensburger Priestern im Canon nicht mehr offiziell erwähnt.

In einer eigenen Studie habe ich gezeigt,[28] daß das Prager Sakramentar als Patrozinium für die herzogliche Kapelle Johannes d. T. voraussetzt und daß in der Nähe der Pfalz eine Georgs-, Martin- und Zenokirche gestanden haben müssen. Dem hl. Martin war die in der Nähe von Niedermünster gelegene Kirche des 7. Jhs. geweiht, dem hl. Zeno die sog. Erhardi-Krypta und dem hl. Georg die Kirche unmittelbar daneben an der Nordostecke der alten Stadtmauer, wo sich noch im Spätmittelalter eine Georgskirche befand. Sowohl die Martins- als auch die Zenomesse, z. T. auch die Georgsmesse, zeigen gallikanischen Gebetsstil.[29] Die Martinsmesse findet sich im gallikanischen Missale Gothicum wieder und könnte durch fränkische Missionare, vielleicht den hl. Rupert, nach Regensburg gebracht worden sein.

Nach Prag kam unser Codex mit anderen Regensburger Handschriften im Zug der kirchlichen Organisation Böhmens, das bekanntlich bis z. J. 973 dem Bistum Regensburg unterstand.[30]

Die Regensburger Mission in Böhmen
im Lichte der Liturgiebücher

Daß die liturgischen Bücher eine nicht unbedeutende Geschichtsquelle darstellen, wird mehr und mehr auch von der Geschichtsfor-
schung erkannt. Dies gilt vor allem für die an historischen Dokumen-
ten arme Zeit des Frühmittelalters. Solche Dokumente sind, seien es
Urkunden oder literarische Erzeugnisse, zudem oft nur in relativ
späten Abschriften auf uns gekommen, während die liturgischen
Bücher unmittelbar aus der betreffenden Zeit stammen.[1] Für den
Historiker sind vor allem die sich darin findenden Kalendare mit
ihren nekrologischen Angaben und die Formulare für bestimmte
Heiligenfeste interessant, weil sie Rückschlüsse über untergegangene
Kirchenbauten bzw. über das Verbreitungsgebiet eines bestimmten
Heiligenkultes erlauben. Für die Namensforschung von Bedeutung
sind die in vielen Meßbüchern in den Canon Missae am Rand
eingetragenen Eigennamen, die beim Gedächtnis für die Lebenden
(Memento vivorum) bzw. der Toten (Memento mortuorum) einge-
fügt worden sind.[2] Für den Kulturhistoriker stellt die künstlerische
Ausstattung der liturgischen Bücher ein Barometer für die kulturelle
Höhe in dem betreffenden Gebiet dar.

Umgekehrt darf auch die Liturgiegeschichte nicht im luftleeren
Raum operieren. Es müssen immer wieder Beziehungen zur Profan-
und Kirchengeschichte hergestellt werden. So ist wichtig zu bedenken, daß politische Zentren im Frühmittelalter zugleich auch kirchliche und liturgische Mittelpunkte waren. Ein solches nicht unbedeu-
tendes politisches Zentrum war im 8. und 9. Jahrhundert Regensburg, bedingt zuerst durch die Residenz der Agilolfinger-Herzöge,
dann durch die wenigstens zeitweise Anwesenheit König Karls und
der späteren deutschen Karolinger.[3] Von diesem Zentrum Regensburg aus wurde vom 8. bis zum 10. Jahrhundert die Missionierung
Böhmens betrieben.[4]

Direkte Zeugnisse dieser Regensburger Mission in Böhmen sind
liturgische Handschriften aus dieser Zeit, wie sie noch heute in
Prager Bibliotheken aufbewahrt werden. Sie stammen nach der
maßgeblichen Ansicht von Bernhard Bischoff (München) aus Regensburg; sie sind auch fast alle dort selbst geschrieben. Verständ-

licherweise hat nur ein Bruchteil des einstigen Bestandes an Regensburger Handschriften die Unbilden der Zeit überdauert. Zu diesen
Büchern gehören Reste eines gegen Ende des 8. Jahrhunderts sicher
in Regensburg geschriebenen Psalteriums (jetzt: Universitätsbibliothek Prag, Codex F. 22), ferner ein Homiliar aus dem Anfang des
9. Jahrhunderts (Metropolitanbibliothek Prag, Codex A. CLVI)
und ein weiteres Homiliar (ebenda, Codex A. CXXX), das von einer
Freisinger Hand der Mitte des 9. Jahrhunderts stammt.[5]

Am interessantesten und genauer untersucht ist schließlich ein
Meßbuch, das sog. Prager Sakramentar (Metropolitanbibliothek
Prag, Cod. O. 83).[6] Mit dieser Handschrift wollen wir uns nun etwas
befassen. Sicher bestimmbar ist die Entstehungszeit des kostbaren
Meßbuches, nämlich vor dem Jahr 794. In diesem Jahr ist nämlich die
Gemahlin König Karls, Fastrada, gestorben. Sie wird jedoch in
einem Nachtrag, der sog. Nota historica, noch unter den im Meßka-
non zu nennenden lebenden Persönlichkeiten aufgeführt.[7] Da die
Handschrift aufgrund des Schriftcharakters aber auch nicht viel älter
als 794 sein kann, dürfte sie in den letzten Regierungsjahren des
Baiernherzogs Tassilo, der im Jahr 788 abgesetzt worden ist, entstanden sein.[8]

Strittig war bis jetzt der Entstehungsort dieses Meßbuches. P. Ro-
muald Bauerreiß OSB (München) war seinerzeit der Ansicht, daß der
Codex im Zeno-Kloster Isen (bei Freising) geschrieben worden sei
und zwar wegen der sich darin findenden Zeno-Messe am 8. Dezember. Doch mußte Bauerreiß zugestehen, daß sich das Meßbuch
aufgrund der eben genannten Nota historica bereits vor dem Jahr 794
in Regensburg befunden hat.[9] Es läßt sich relativ leicht nachweisen,
daß das Prager Sakramentar nicht in Isen, sondern in Regensburg
selbst entstanden ist, wenn auch aufgrund der Schrift nicht, wie die
meisten erhaltenen Regensburger Handschriften aus so früher Zeit,
in der Schreibschule des Klosters St. Emmeram, sondern allem
Anschein nach in der sonst nicht näher bekannten Schreibschule des
Herzogs bei der Pfalzkapelle. Inzwischen hat sich B. Bischoff ebenfalls dieser Meinung angeschlossen.[10]

Nun ist es gerade die vorhin erwähnte Zeno-Messe, aus der
Bauerreiß eine Entstehung im Kloster Isen ableiten wollte, die für
eine Entstehung in Regensburg spricht. Zusammen mit einem anderen Meßformular, und zwar für die »Translatio sancti Martini« am

5. Juli, läßt sich diese Zeno-Messe nämlich nur noch in zwei Regensburger Meßbüchern aus dem 10. Jahrhundert nachweisen. Es finden sich, was in diesem Zusammenhang wichtig ist, hier dieselben haarsträubenden Fehler wie im Prager Sakramentar.[11]

Weiterhin ist der Kult des heiligen Zeno für Regensburg auch sonst bezeugt. So erscheint das Fest des heiligen Zeno von Verona und zwar ebenfalls am 8. Dezember, dem Ordinationstag des Heiligen, und nicht wie sonst meist am 12. April, seinem Todestag, in einem Regensburger Kalendarfragment, das aus der gleichen Zeit wie das Prager Sakramentar stammt. Es wurde bislang in der Sakristei der St. Emmeramskirche in Regensburg aufbewahrt und befindet sich jetzt im Bischöflichen Zentralarchiv.[12] Eine St. Zeno-Kapelle war seit dem 9. Jahrhundert an die St. Emmeramskirche angebaut, an derselben Stelle, wo sich jetzt die Sakristei befindet.[13] Vielleicht war auch die sog. Erhardskrypta, deren Patrozinium nicht mehr bekannt ist, ursprünglich eine Zeno-Kirche.[14]

Schauen wir uns das Meßbuch, das seinerzeit durch Regensburger Missionare nach Böhmen gekommen war und jetzt in Prag liegt, etwas näher an, dann fällt auf, daß es sich um eine zwar einfache, aber kalligraphisch gute Arbeit handelt. Sie zeigt, daß am Regensburger Herzogshof gegen Ende des 8. Jahrhunderts eine gewisse kulturelle Blüte vorhanden gewesen sein muß.[15] Geschrieben ist das Sakramentar in einer vorkarolingischen Minuskel mit z. T. recht schönen Initialen, die als Schmuck Tierköpfe und Flechtbandmuster zeigen. Nur die Gebete des Meßkanons, die täglich gebraucht wurden, sind in Unziale, also in Majuskelschrift, gehalten. Auf einer leer gebliebenen Seite vor dem Meßkanon befindet sich die mehrmals genannte Nota historica. An erster Stelle der im Canon missae zu nennenden lebenden Personen steht König Karl.

Ein weiterer Schmuck der Handschrift sind neben den farbigen Initialen verzierte Überschriften, wobei neben Ostern nur das Fest des heiligen Johannes des Täufers am 24. Juni besonders ausgezeichnet erscheint. Dies läßt m. E. darauf schließen, daß die herzogliche Kapelle, für die allem Anschein nach unser Meßbuch bestimmt war, dem heiligen Johannes geweiht war.[16] Eine besondere Stellung nehmen auch die Feste der heiligen Georg am 24. (nicht wie sonst am 23.) April und Martin am 11. November ein, zwei Heilige, die schon früh in Regensburg verehrt worden sind. Georg und Martin zieren als

Reiterfiguren auch die innere Eingangspforte des Regensburger Doms.

Die Orthographie des Lateins im Prager Sakramentar ist noch unbeeinflußt von der karolingischen Renaissance, wo man wieder auf die klassische Schreibweise der Wörter zurückgegriffen hat. Es finden sich im Text außerdem zahlreiche sinnstörende Fehler, die teils auf einer schlechten Vorlage beruhen dürften, teils aber auch auf der Tatsache, daß der Schreiber schwerhörig war und die ihm diktierten Worte und deren Sinn nicht immer verstanden hat. Vermutlich war er der lateinischen Sprache nicht besonders mächtig.[17] Dies muß aber auch für die Priester zutreffen, die dieses Meßbuch in der Folgezeit benutzt haben, da wir kaum einmal eine Korrektur des verderbten Textes vorfinden.

Dem Typus nach gehört unser Meßbuch in die Gruppe der sog. Sacramentaria Gelasiana, wie sie während des 8. Jahrhunderts in Oberitalien und im Frankenreich in Gebrauch waren.[18] Auch aus dem bairischen Raum sind außer dem Prager Sakramentar mehrere Zeugnisse dieses Typus erhalten geblieben.[19] Durch die Liturgiereform Karls des Großen wurden diese altertümlichen Meßbücher abgeschafft und das damals »moderne« Sacramentarium Gregorianum eingeführt, ein Meßbuch, das von Papst Gregor dem Großen im Jahr 592 redigiert worden war[20] und das sich vom 7./8. Jahrhundert an im Abendland immer mehr eingebürgert hat. Wir finden das Gregorianum für Regensburg um das Jahr 800 bezeugt.[21]

Das Prager Sakramentar war also bereits einige Jahrzehnte nach seiner Niederschrift veraltet. Es konnte daher in Regensburg nicht mehr liturgisch gebraucht werden. Als überzählige Handschrift hat man sie den nach Böhmen ziehenden Missionaren mitgegeben. Dies dürfte schon bald nach 800 geschehen sein, weil sich außer der Nota historica, die vor dem Jahr 794 eingetragen wurde, keine späteren Nachträge mehr erkennen lassen. Dieses auf solche Weise damals aus Regensburg weggebrachte Sakramentar bildet heute ein wichtiges Dokument aus der Frühzeit der Diözese und neben dem Tassilo-Kelch und einem prunkvollen Psalterium, das vermutlich für die Gemahlin Tassilos bestimmt war,[22] ein kostbares Erbe aus der herzoglichen Pfalz. Es stellt das älteste vollständig erhaltene Meßbuch der Diözese Regensburg dar und ist zugleich ein wichtiger Zeuge für die ehemalige Verbindung Böhmens mit Regensburg.

Anhang:
Stammt der Codex Millenarius in Kremsmünster aus der Pfalzkapelle des Herzogs Tassilo III.?

Das Stift Kremsmünster in Oberösterreich geht auf eine Stiftung des Baiernherzogs Tassilo III. zurück, die dieser im Jahr 777 im damaligen ostbairischen Grenzland errichtet hat. Noch heute wird in diesem Kloster der berühmte Kelch aufbewahrt, der aus dem Besitz des Herzogs, vermutlich aus dessen Pfalzkapelle, stammt.[1] Auch das Zepter Tassilos wurde nach dessen Sturz durch König Karl im Jahr 788 hierher in Sicherheit gebracht und später zu zwei Altarleuchtern umgearbeitet.[2]

Weniger bekannt als der Kelch und das Zepter ist das prächtig ausgestattete Evangelienbuch, der »Codex Millenarius«, der ebenfalls als ein kostbares Vermächtnis aus der Gründungszeit im Kloster aufbewahrt wird.[3] An einigen Tagen des Jahres, so am Gedächtnis des Herzogs, wird noch heute aus ihm im Hauptgottesdienst das Evangelium vom Diakon gesungen. Der Codex ist als Prachthandschrift sehr sorgfältig in Großbuchstaben geschrieben. An den Anfängen der vier Evangelien befinden sich zweiseitige kunstvolle Miniaturen der Evangelisten und ihrer Symbole. Diese und die Fassung des biblischen Textes gehen auf eine oberitalienische Vorlage zurück.[4]

Uns beschäftigt die Frage, wo diese kunstvolle Handschrift entstanden ist. Daß die Mönche von Kremsmünster in ihrem Kloster gern den Ort der Entstehung des Codex sehen, ist verständlich. Doch meist wird das Kloster Mondsee (bei Salzburg) als der Ort genannt, in dem das Evangeliar geschrieben wurde. Zu dieser Auffassung gelangte man wegen der Ähnlichkeiten zu den Miniaturen im Psalter des Herzogs Tassilo, der ebenfalls in Mondsee entstanden sein soll.[5]

Diese These wurde erschüttert, als vor einigen Jahren im bischöflichen Zentralarchiv Regensburg zwei Doppelblätter einer ehemaligen Evangelienhandschrift gefunden wurden, die aus dem Regensburger Dom stammt. Die Pergamentblätter waren als Einbände von Kapitular-Protokollen der Jahre 1617–19 verwendet worden. Die auf ihnen sich findende Schrift weist größte Ähnlichkeit mit der des genannten Psalters auf.[6]

Diese kleinformatige Handschrift war als Gebetbuch für die herzogliche Familie bestimmt und deshalb besonders sorgfältig geschrieben und ausgestattet. Es ist wenig wahrscheinlich, daß der Herzog diesen Codex im fernen Kloster Mondsee in Auftrag gegeben hat, wenn ihm in Regensburg, der Hauptstadt seines Herzogtums, die zugleich sein bevorzugter Aufenthaltsort war, eine eigene Schreib- und Malschule zur Verfügung stand. Diese befand sich beim Dom und stellte neben der des Klosters St. Emmeram in dieser frühen Zeit die bedeutendere dar. Eine eingehende Studie darüber steht noch aus.[7]

Wenn aber die Evangelien-Handschrift, von der jetzt Fragmente auftauchten, und der genannte Psalter in Regensburg geschrieben sind, dann muß hier auch der Codex Millenarius entstanden sein und zwar wegen der bereits erwähnten Übereinstimmung im Stil seiner Miniaturen mit denen des Psalters.

Wenn demnach nicht alles täuscht, wurde das Evangelienbuch für den Gebrauch in der Pfalzkapelle des Herzogs geschaffen und hier in der Liturgie verwendet. Wie damals üblich, lag das Buch ständig auf dem Altar. Es wurde nach dem Sturz Tassilos, zusammen mit dem Zepter des Herzogs und dem wertvollen Kelch, wohl durch treue Anhänger nach Kremsmünster in Sicherheit gebracht. Somit wären damals besonders wertvolle Stücke aus dem »ornatus palatii« in die Lieblingsstiftung des Herzogs gelangt.

Der erwähnte Psalter hingegen, den seine Frau Liutpirc oder eine seiner Töchter Cotani bzw. Rotrud als Gebetbuch benützt hat, ist in die Verbannung ins westliche Frankenreich mitgenommen worden. Hier wird es noch heute in Montpellier aufbewahrt. Das Sakramentar der Pfalzkapelle ist ebenfalls erhalten geblieben. Da es weniger kostbar ausgestattet war als die genannten Stücke – trotzdem zeigt auch hier die Zierschrift deutliche Beziehungen zum Codex Millenarius auf –, wurde es damals in der Pfalzkapelle zurückgelassen. Wie eine Eintragung aus dem Jahr 792 in die Handschrift beweist, hat man es hier unter Karl d. Gr. weiterbenützt, nachdem dieser von der Pfalz Tassilos Besitz ergriffen hatte.[8] Später kam es, wie oben gezeigt, durch Missionare nach Böhmen und liegt heute in Prag.

Anmerkungen

Die kirchlichen und politischen Verhältnisse in der oberen Donauprovinzen zur Zeit Serverins

1 Herausgegeben von R. Noll, Eugippius. Das Leben des heiligen Severin (= Schriften und Quellen zur Alten Welt 11, Berlin 1963). Hier S. 36–38 weitere Ausgaben des »Commemoratorium« sowie umfangreiche Literatur. Neuerdings: Fr. Unterkircher, Eugippius. Vita sancti Severini. Facsimile-Ausgabe des Textes in Codex 1064 der Österr. Nationalbibliothek (fol. 61ʳ–80ʳ) mit Transkription und Übersetzung (Graz 1982).

2 Dagegen meint E. Vetter, daß Eugippius »als Halbwüchsiger in Neapel« war; vgl. Noll, Eugippius 34, Anm. 2; dazu S. 13.

3 Vgl. R. Noll, Frühes Christentum in Österreich von den Anfängen bis 600 nach Chr. (Wien 1954).

4 Vgl. K. Kramert – E. K. Winter, St. Severin, der Heilige zwischen Ost und West, 2 Bde (Klosterneuburg 1958/59); R. Zinnhobler, Das neue Bild des hl. Severin – Ein Literaturbericht, in: Beiträge zur Geschichte des Bistums Linz (= Linzer Phil.-theol. Reihe 8, Linz 1977) 22–25; Severin und die Vita Severini (= Sonderdruck aus: Oberösterreichische Heimatblätter 36, 1982); Severin zwischen Römerzeit und Völkerwanderung (= Ausstellungskatalog Stadtmuseum Enns 1982); F. Lotter, Severin von Norikum, Staatsmann und Heiliger, in: Theol.-prakt. Quartalschrift 130 (1982) 110–124.

5 Vgl. Pauly-Wissowa, Realencyclopädie der classischen Altertumswissenschaft IX (1914) 1085–1088; H. Leclercq, Illyricum, in: Dictionnaire d'archéologie chrétienne et de liturgie VII, 1 89–180. M. Mircović, Sirmium – its History from the I Century A. D. to 582 A. D., in: Sirmium. Archaeological Investigations in Syrmian Pannonia I (Beograd 1971) 5–90; V. Popović, A survey of Topography and Urban Organization of Sirmium in the Late Empire, ebd. 119–134, P. Milošević, in: Sirmium II (Beograd 1971) 3–14 (mit Grundrissen zweier Kirchen).

6 Vgl. J. Zeiller, Les origines chrétiennes dans les provines danubiennes (Paris 1918). In Sirmium entstand die »Altercatio Heracliani laici cum Germinio episcopo Sirmiensi«, herausgegeben von C. Caspari, Kirchenhistorische Anecdota I (Christiania 1883) 133–147; vermutlich auch die sog. Fragmenta Ariana mit liturgischen Texten; vgl. K. Gamber, Zur Liturgie Illyriens, in: Gamber, Sakramentarstudien (= Studia patristica et liturgica 7, Regensburg 1978) 145–149.

7 Die Vorgeschichte des Heiligen vor seinem Eintritt in den Mönchsstand liegt im Dunkel. Möglicherweise war er früher einmal römischer Konsul; er hatte offensichtlich Beziehungen zum weströmischen Kaiserhaus; vgl. R. Zinnhobler, Zu Person und Werk des hl. Severin, bzw. Zum gegen-

wätigen Stand der Severin-Forschung, in: Severin und die Vita Severini (oben Anm. 4) 3–15.

8 Vgl. P. B. Gams, Series Episcoporum Ecclesiae catholicae (Regensburg 1973) 378.

9 Vgl. Leclercq, Illyricum (Anm. 5) 103.

10 Vgl. H. Lietzmann, Die drei ältesten Martyrologien (= Kleine Texte 2, Bonn 1911) 10–13.

11 Die kirchliche Zugehörigkeit Illyriens war im 9. Jahrhundert zwischen Rom und Konstantinopel umstritten; vgl. L. E. Havlik, Das pannonische Erzbistum im 9. Jahrhundert im Lichte der wechselseitigen Beziehungen zwischen Papsttum und den ost- und weströmischen Imperien, in: Methodiana. Beiträge des hl. Method (= Annales Instituti Slavici 9, Wien–Köln–Graz 1976) 45–60; K. Gamber, Der Erzbischof Methodius von Mähren vor der Reichsversammlung in Regensburg des Jahres 870, in: Gamber, Ecclesia Reginensis. Studien zur Geschichte und Liturgie der Regensburger Kirche im Mittelalter (= Studia patristica et liturgica 8, Regensburg 1979) 154–164 (mit weiterer Literatur).

12 Vgl. R. Zinnhobler, Lorch in der Geschichte (= Linzer Phil.-theol. Reihe 15, Linz 1981) 11–36: G. Winkler, Lorch zur Römerzeit.

13 Vgl. c. 30,2: »ad sanctum Constantium eiusdem loci pontificem«.

14 Vgl. P. Stockmeier, Die spätantike Kirchen-Organisation des Alpen-Donauraumes im Licht der literarischen und archäologischen Zeugnisse, in: Beiträge zur altbayerischen Kirchengeschichte 23 (1963) 40–76, hier 67.

15 Eine neue kritische Ausgabe der Passio stammt von W. Neumüller, der heilige Florian und seine »Passio«, in: Mitteilungen des oberösterreichischen Landesarchivs 10 (1971) 1–35.

16 Vgl. I. Zibermayr, Norikum, Baiern und Österreich. Lorch als Hauptstadt und die Einführung des Christentums (Horn 1972) 21 f.

17 Vgl. R. Egger, Teurnia. Die römischen und frühchristlichen Altertümer Oberkärntens (Klagenfurt 1948 und weitere Auflagen).

18 Vgl. c. 21,2: »Tiburniae, quae est metropolis Norici«.

19 Vgl. c. 25,2: »universa diocesis suae castella scriptis propriis vehementer admonuit . . .«

20 Vgl. Athanasius, Apol. c. Arianos c. 1 und 36 (PG 25, 249 A und 311 A); Hist. Mon. c. 28 (PL 25, 725 A/B).

21 Vgl. E. Tomek, Kirchengeschichte Österreichs I (Innsbruck 1935) 44.

22 Dies macht sich noch bis ins 9. Jahrhundert in den liturgischen Büchern bemerkbar; vgl. Gamber, Sakramentarstudien (Anm. 6) 162–169. Vermutlich noch zur Zeit Severins kam aus Oberitalein eine Paulus-Perikopenliste, die in zwei bairische Handschriften des 8. Jahrhunderts überliefert ist; vgl. K. Gamber, Eine liturgische Leseordnung aus der Frühkirche, in: Gamber, Sarmannina. Studien zum Christentum in Bayern und Österreich während der Römerzeit (= Studia patristica et liturgica 11, Regensburg 1982) 83–96.

23 Vgl. Arbeo, Vita s. Corbiniani c. 15 (ed. Krusch 202, 18): »Valeriam penetrans et ibidem aliquamdiu demoratus« bzw. (ed. Krusch 204, 10): »qui eum cum omni honore deducerent a finibus Valeriae«.

24 Vgl. G. Leidinger, Das sog. Evangeliarium des heiligen Korbinian, in: Wissenschaftl. Festgabe zum 1200jährigen Jubiläum des hl. Korbinian (München 1924) 79–102, bes. auch 101.

25 Vgl. Gamber, Zur Liturgie Illyriens (Anm. 6) 150–155.

26 Vgl. M. Heuwieser, Die Entwicklung der Stadt Regensburg im Frühmittelalter, in: VO 76 (1926) 75–188, hier 77ff.: »Nach Lage der Dinge darf es als sicher gelten, daß die ersten germanischen Erben der Römer und Herren in Regensburg die Alemannen waren, und als in hohem Grade wahrscheinlich, daß die Stadt vorübergehend das Hauptquartier der Alemannen, insbesondere die Residenz des Königs Gibuld war.«

26ᵃ Vgl. Pauly-Wissowa III, 1771.

27 Vgl. Heuwieser (Anm. 26) 79f.

28 Synode von Serdica, can. 6: »... si qua talis aut tam populosa sit civitas vel locus, qui mereatur habere pontificem« (Mansi, Conc. III, 24 bzw. 33).

29 Vgl. E. Weber, Zur Rechtsstellung der Zivilstadt von Lauriacum, in: Zinnhobler, Lorch in der Geschichte (Anm. 12) 37–56. Bemerkenswert ist, daß der gegenüber Reginum viel kleinere Ort Quintanis (Künzing) in c. 15,1 der Vita »municipium« genannt wird.

30 »Ein Ädil war einer der vielen Beamten, die für ein Jahr einen ehrenamtlichen Verwaltungsposten in einer städtischen Gemeinde versahen. Er übte eine Art polizeilicher Aufsicht über Tempel, öffentliche Straßen, Märkte und Gewerbe aus«; vgl. K. Dietz u. a., Regensburg zur Römerzeit (Regensburg 1979) 234.

31 Vgl. Dietz, Regensburg (Anm. 30) 230–247 (mit mehreren Abbildungen).

32 Vgl. K. Rehberger, Der heilige Florian – Ein Literaturbericht, in: Zinnhobler, Lorch in der Geschichte (Anm. 12) 98–127.

33 Vgl. Gamber, Sarmannina (Anm. 22) 14–37.

34 Vgl. die Abbildung in: Dietz, Regensburg S. 101.

35 Vgl. Arbeo, Vita et passio s. Haimhrammi Martyris c. 4: »(Haimhrammus) ad Radasponam pervenit urbem, quae ex sectis lapidibus constructa, in metropolim huius gentis in arce decreverat« (ed. Bischoff 12) bzw. c. 6: »Urbs ... Radaspona inexpugnabilis, quadris aedificata lapidibus, turrium exaltata magnitudine, puteis habundans« (ed. Bischoff 14).

36 Bei dem völligen Fehlen von Quellen aus der Frühzeit der »ecclesia Reginensis« ist es nicht verwunderlich, daß ein Bischof Lupus erst um 1030 von Arnold von St. Emmeram erwähnt wird (MGH Scriptores IV, 564): »Igitur sicut ecclesiasticarum testantur scripta donationum et traditionum, haec sedes habuit episcopos, primum Lupum ...« Eine zeitliche Einordnung begegnet und bei Hochwart, Episcoporum Ratisponensium catalogi (1542); er zitiert (S. 161) aus einem (heute verlorenen) Katalog

der Passauer Bischöfe, aus dem er sich folgendes, durchaus glaubwürdiges Exzerpt gemacht habe: »Tempore Zenonis imperatoris (474–491) archiepiscopus Pataviae Theodorus et Ratisponensis Lupus, natione Romani, ab infidelibus Bavaris caesi sunt, sub Theodone Bavarorum duce primo«; vgl. J. R. Schuegraf, Geschichte des Domes von Regensburg (= VO 11, Regensburg 1847) 19 mit Anm. 31; Gamber, Ecclesia Reginensis (Anm. 11) 16 mit Anm. 31.

37 Vgl. c. 41,1: »Lucillus presbyter abbatis sui sancti Valentini, (secundarum) Raetiarum quondam episcopi diem depositionsis . . .« Noll, Eugippius (Anm. 1) 29 liest statt »abbatis sui Valentini« mit nur wenigen Handschriften »abbati suo . . .« In dem Fall wäre Severin gemeint (der sonst jedoch nie Abt genannt wird) und nicht Valentin. Doch ist die von Noll vorgeschlagene Lesung wenig begründet, da keine einzige Handschrift »suo« liest und der Wegfall des Schluß-»s« von »abbatis« in einigen Codices durch das nachfolgende »s« in »sui« bedingt sein kann. Zu Bischof Valentin vgl. A. Huber, Geschichte der Einführung und Verbreitung des Christenthums in Südostdeutschland I (Salzburg 1874) 320–329. Huber sieht in Valentin den »ersten der von Aquileja ausgegangenen Missionare in Vindelicien« und setzt ihn mit dem Valentin von Mais bei Meran gleich, dessen Leichnam später nach Passau überführt wurde. Doch ist dies keineswegs als gesichert anzusehen.

37ª Vgl. R. Bauerreiß, Kirchengeschichte Bayerns I (²St. Ottilien 1974) 7: ». . . Adalwino ecclesiae Reginensis . . .« Ähnlich in Regensburger Urkunden noch des 9. Jahrhunderts; vgl. J. Widemann, Die Traditionen des Hochstifts Regensburg und des Klosters S. Emmeram (München 1943) Nr. 39: ». . . Ambrichonem videlicet Reginensis aeclesiae venerabilem episcopum«. In Nr. 39 auch die Bezeichnung »Regina civitas«.

38 So fragt Herzog Theodo den Bischof Emmeram nach dessen Ankunft in Regensburg, ob er als »pontifex . . . huius provinciae« wirken oder den bairischen Klöstern als »abbas« vorstehen wolle; vgl. Arbeo, Vita c. 5 (ed. Bischoff 13 f.). Das Bewußtsein, daß in Reginum von altersher ein Pontifex residiert hat, war demnach zu damaliger Zeit allem Anschein nach noch lebendig. Ob auch in anderen Orten der genannten Donauprovinzen zur Zeit Severins Bischöfe gewirkt haben, wissen wir nicht. Es ist denkbar, daß in den übrigen Städten bzw. »castelli« (nach syrischer Sitte) Chor-Bischöfe (chorepiscopi), d. h. Landbischöfe gewirkt haben. Bemerkenswert ist, daß »chorepiscopi« in bairischen Urkunden noch des 9. Jahrhunderts namentlich erwähnt werden, während anderswo das Institut der Chorbischöfe unbekannt war; vgl. F. Janner, Geschichte der Bischöfe von Regensburg I (Regensburg 1883) 101 f., wo auf die Synode von Regensburg d. J. 768 verwiesen wird, die sich mit der Funktion der Chorbischöfe befaßt hat; vgl. auch Fr. Gillmann, Das Institut der Chorbischöfe im Orient (= Veröffentlichungen aus dem Kirchenhistorischen Seminar München II, 1 München 1903).

39 Erst als die Herzogsburgen Freising, Salzburg und Passau unter Herzog

Theodo II. (680/90 bis um 716), nach der Teilung des Landes unter sich und seine drei Söhne in vier Gebiete zu Beginn des 8. Jahrhunderts eine größere Bedeutung gewonnen hatten, wurden auch sie, wohl auf Veranlassung des Herzogs, Bischofsitze; vgl. Gamber, Ecclesia Reginensis (Anm. 11) 20 mit Anm. 48.

40 Vgl. K. Schrödl, Passavia sacra. Geschichte des Bistums Passau (Passau 1879) 43.

41 Im Gegensatz zum damals in Regensburg residierenden Bischof Wikterp wurde Vivilo, der die Weihe vom Papst in Rom empfangen hatte, in seinem Amt belassen; vgl. Gamber, Ecclesia Reginensis 23 f.

42 Vgl. c. 1,2, 11,3: »presbyteros et diacones«.

43 Vgl. c. 16,6: »Marci subdiaconi et Materni ianitoris«; weiterhin c. 1,3; 10,6; 16,3.

44 Vgl. c. 16,2: »virgo sacrata«.

45 Vgl. c. 24,1: »Moderatum nomine cantorem ecclesiae«.

46 Vgl. c. 46,5: »primicerius cantorum sanctae Ecclesiae Neapolitanae«.

47 Vgl. c. 19,1: »... ubi beatus Severinus cellulam paucis monachis solito more fundaverat«. »Solito more« bezieht sich wohl auf den Brauch Illyriens, auf den auch Hieronymus, Ep. ad Eustoch. 34 (BKV II 106) hinweist, von nur wenigen Mönchen in den einzelnen Klöstern.

48 Dies galt auch für das Kloster bei der St. Georgskirche in Regensburg, bevor diese als spätere St. Emmeramskirche im 10. Jahrhundert in die Festungsmauern einbezogen wurde.

49 Vgl. c. 44,2: »suscepto ... professionis sanctae proposito«; ähnlich c. 43,6: »proposito suscepto«.

50 Vgl. c. 37,1: »Marcianum monachum, qui postea presbyter ante nos monasterio praefuit«. Im konkreten Fall ist das Kloster Lucullanum bei Neapel gemeint, doch dürfen wir Rückschlüsse auf die Verhältnisse in Norikum schließen.

51 Zum »oppidum Comagenis« vgl. H. Ubl, Die archäologische Erforschung der Severinsorte und das Ende der Römerzeit im Donau-Alpenraum, in: Severin zwischen Römerzeit und Völkerwanderung (Anm. 4) 71–97, hier 75 f.

52 Vgl. c. 2,1: »in ecclesia per triduum congregati«.

53 Vgl. I. Elbogen, Der jüdische Gottesdienst in seiner Entwicklung (Nachdruck Hildesheim 1962) 126.

54 Vgl. c. 39,2: »Numquam ante solis occasum nisi certa solvit festivitate ieiunium. Quadragesimae vero temporibus una per hebdomadam refectione contentus.«

55 Zur Geschichte der Abendmesse vgl. Fr. Zimmermann, Die Abendmesse in Geschichte und Gegenwart (= Studien und Mitteilungen aus dem kirchengeschichtlichen Seminar in Wien 15, Wien 1914); K. Gamber, Sacrificium vespertinum (Regensburg 1983).

56 Der Ort hat bereits von Kaiser Claudius (41–54) das Stadtrecht eines

»municipium« erhalten; vgl. Ubl, Die archäologische Erforschung der Severinsorte (Anm. 51) 84.

57 Bei Cucullis handelte es sich um ein »castellum«; vgl. Ubl 85.

58 Auch Augustinus gebraucht für die Meßfeier fast regelmäßig den Ausdruck »sacrificium« (der Ausdruck »missa« kennt er in diesem Zusammenhang nicht); vgl. W. Roetzer, Des hl. Augustinus Schriften als liturgiegeschichtliche Quelle (München 1930) 95.

59 Vgl. die Stelle in Psalm. 118, serm. 8, n. 18 (PL 15, 1383f.) bei Zimmermann (Anm. 55) 74f. Hier wird, wie in der Severins-Vita, die »celebranda oblatio« am Abend »sacrificium vespertinum« genannt.

60 Vgl. Paulinus, Carmen XXIII, 111–115, (PL 61, 608C): »libatis vespere sacris«; vgl. Zimmermann (Anm. 55) 82f. Für das 4./5. Jahrhundert ist für Aquileja eine abendliche Messe an Fasttagen auch im Brief der Bischöfe Chromatius und Eliodorus, der an der Spitze des Martyrologium Hieronymianum steht, bezeugt: »... omni die sive non ieiunans matutinas sive ieiunans vespertinas explicans missas«; vgl. H. Quentin – H. Delehaye, Commentarius perpetuus in Martyrologium Hieronymianum (= Acta Sanctorum, Nov. II, 2 Bruxelles 1931).

61 Vgl. Zimmermann (Anm. 55) 83.

62 Vgl. MGH Leg. II, Cap. Franc. I, 254,12; Zimmermann 158.

63 Vgl. c. 11,3: »psalterio ex more decurso«.

64 Welche Psalmen damals zur Vesper gesungen wurden, erfahren wir aus der Severins-Vita leider nicht. Bei der sonstigen Abhängigkeit von Sirmium bzw. Syrien können wir vermuten, daß es die gleichen Psalmen wie im Orient waren, die uns ihrerseits wieder im jüdischen Mincha-Gebet begegnen; vgl. Gamber, Liturgiegeschichtliche Aspekte der Vita Severini, in: Severin und die Vita Severini (Anm. 4) 50f.

65 Der Vortrag der Psalmen war Aufgabe des »cantor ecclesiae«; die anwesenden Gläubigen hatten nur das jeweilige Responsum (Kehrvers) zu singen. So erklärt sich die Bemerkung in c. 12,3: »Nachdem sich alle in der Kirche versammelt hatten, sang ein jeder wie gewohnt (in ordine suo)«, d. h. der Cantor, der allein den Text der Psalmen (und Hymnen) kannte, sang vor und die Anwesenden respondierten mit einem gleichbleibenden Vers; vgl. Fr. Leitner, Der gottesdienstliche Volksgesang im jüdischen und christlichen Altertum (Freiburg 1906) 213. Der Kehrvers lautete in den meisten Fällen »Alleluia«; vgl. Chromatius: »responsio ista Alleluia« bzw. »singuli respondimus« (Corpus Christianorum IXA 151 bzw. 152).

66 Quintanis wird in der Severins-Vita als Stadt (»municipium bzw. oppidum«) bezeichnet; vgl. Ubl, Die archäologische Erforschung der Severinsorte (Anm. 51) 82f.

67 Vgl. c. 16,1: »... noctem psallentes duxissent ex more pervigilem«. Damit war die Meßfeier verbunden; in der Vita ist nämlich ausdrücklich von »celebranda sollemnia« bzw. »annua sollemnitas« die Rede (c. 41,1), wobei unter »sollemnitas« die Feier der Eucharistie gemeint ist.

68 Vgl. c. 44,5–7.

69 Vgl. Gamber, Ecclesia Reginensis 16f. Der Text der Inschrift lautet: Hic requiescit in pace Christi sanctae memoriae Marcianus Episcopus. Qui vivit in episcopatu annos XLIII et peregrinatus est pro causa fidei XL. Depositus est autem in hoc sepulchro VIII Kalendas Maias indictione undecima« (Mitteilung von Prof. G. Brusin, Aquileia).

70 Vgl. R. Egger, Die Ecclesia secundae Raetiae, in: Reinecke-Festschrift (Mainz 1950) 51–60. Mitunterzeichner dieses Briefes war Bischof Ingenuinus von Sabiona (Säben), der sich, ähnlich wie Valentin, hier »episcopus secundae Raetia« nennt.

Zu: Die ältesten Kirchenbauten im Alpenraum

1 Vgl. eine frühere Studie von mir zu dieser Frage: Domus ecclesiae. Die ältesten Kirchenbauten Aquilejas sowie im Alpen- und Donaugebiet bis zum Beginn des 5. Jh. liturgiegeschichtlich untersucht (Studia patristica et liturgica 2, Regensburg 1968), im folgenden »Domus ecclesiae« abgekürzt. Hier auch die Literaturangaben zu den meisten im folgenden genannten frühen Kirchen. Korrekturen zu meiner Studie in: Sacrificium vespertinum (Studia patristica et liturgica 12, Regensburg 1983) 43–50 und in: Archiv für Liturgiew. 26 (1984) 347–350.

2 Vgl. K. Gamber, Jüdisches Erbe im Gottesdienst der Christen. Geht die Basilika auf die hellenistische Synagoge zurück?, in: Römische Quartalschrift 78 (1983) 178–185.

3 Vgl. H.-J. Klauck, Hausgemeinde und Hauskirche im frühen Christentum (Stuttgarter Bibel-Studien 103, Stuttgart 1981) 48ff.

4 Vgl. Klauck a.a.O. 30ff.

5 G. Lohfink, Weibliche Diakone im Neuen Testament, in: Die Frau im Urchristentum (Quaestiones disputatae 1983) 320–338 sieht in den genannten Frauen Diakone, was keineswegs zutrifft; vgl. E. J. Lengeling, in: Theol. Revue 80 (1984) 227–230.

6 Griechisch und deutsch herausgegeben von J. A. Fischer, Die Apostolischen Väter (Darmstadt 1956) 167.

7 Vgl. Fischer a.a.O. 211. Was hinsichtlich Jerusalems und Antiochiens gesagt wurde, gilt in entsprechender Weise für die antike Weltstadt Rom (über 1 Million Einwohner). Hier hat man sich in den »Tituli« versammelt.

8 Vgl. A. von Gerkan, Die frühchristliche Kirchenanlage von Dura, in: Römische Quartalschrift 42 (1934) 219–232; ders., Zur Hauskirche von Dura-Europos, in: Mullus. Festschrift Theodor Klauser (1964) 143–149; Domus ecclesiae 15f.

9 Vgl. Domus ecclesiae 76f.

10 Vgl. E. Dyggve, Über die freistehende Klerusbank, in: Festschrift

R. Egger (Beiträge zur älteren europäischen Kulturgeschichte 1, Klagenfurt 1952) 41–52.

11 Vgl. Domus ecclesiae 43–45; H. Büttner – I. Müller, Frühes Christentum im schweizerischen Raum (Einsiedeln/Zürich 1967) 130; I. Müller, Vom Baptisterium zum Taufstein, in: H. Maurer (Hg.), Churrätisches und st. Gallisches Mittelalter, Festschrift O. P. Clavedetscher (Sigmaringen 1984) 23–35, hier 25.

12 Vgl. Domus ecclesiae 45 f.

13 Vgl. Domus ecclesiae 41–43; R. Noll, Frühes Christentum in Österreich (Wien 1954) 84 f. – Ähnlichkeiten bestehen zu einer Hauskirche im antiken Salona, die außerhalb der Mauern der Stadt lag und aus einem Badehaus umgestaltet wurde; vgl. H. Kähler, Die Frühe Kirche. Kult und Kultraum (Ullstein Kunstbuch 1982) 61 f.

14 Vgl. Domus ecclesiae 39–41.

15 J. Werner, Abodiacum. Die Ausgrabungen auf dem Lorenzberg bei Epfach (Neue Ausgrabungen in Deutschland, Berlin 1958) 409–424.

16 Vgl. oben Anm. 10.

17 Vgl. K. Gamber, Sacrificium vespertinum. Lucernarium und eucharistisches Opfer am Abend und ihre Abhängigkeit von den Riten der Juden (Studia patristica et liturgica 12, Regensburg 1983) 43–50.

18 Vgl. Th. Klauser, Die Kathedra im Totenkult der heidnischen und christlichen Antike (Liturgiew. Quellen und Forschungen 21, ²1971).

19 Davon das deutsche Lehnwort »Kirche«.

20 Vgl. P.-P. Joannou, Discipline générale antique I,2 (Fonti Fasc. IX, Grottaferrata 1962) 142.

21 Herausgegeben von R. Noll, Eugippius: Das Leben des heiligen Severin (Schriften und Quellen der antiken Welt, Berlin 1963).

22 Vgl. Gamber, Sacrificium vespertinum (Anm. 17) 68–73.

23 Wie ich noch in Domus ecclesiae 63–93 angenommen habe.

24 Didascalia Apostolorum II 57,5 (ed. Funk 160): »Ita enim decet in parte domus ad orientum versa presbyteros sedere cum episcopo et post hos laicos ac deinde feminas, ut cum surgitis orantes, praepositi surgant primi et post eos viri laici, deinde iterum feminae. Nam versus orientem oportet vos orare.«

25 Vgl. Domus ecclesiae 87–91.

26 Vgl. C. Vogel, Le repas sacré au poisson chez les chrétiens, in: Eucharisties d'orient et d'occident (Paris 1970) 83–116.

27 Vgl. Vogel a.a.O. 96 f.; DACL I 66–87.

28 Vgl. K. Wessel, Abendmahl und Apostelkommunion (Recklinghausen 1964).

29 Vgl. Domus ecclesiae 50 f.; dem gleichen Typus gehören die nur mehr ihren Grundmauern nach feststellbare Kirche S. Croce in Ravenna (um 425) und die linke Kirche der einstigen Doppelanlage in Parenzo an; vgl. P. Verzone, Werdendes Abendland (Baden-Baden 1967) Fig. 2 S. 15 bzw. Fig. 6 S. 27.

30 Vgl. G. C. Menis, La basilica paleocristiana nelle diocesi settentrionali della metropoli d'Aquileia (Studi die antichità cristiana XXIV, Roma 1958) 53–69.
31 Vgl. L. Voelkl, Der Kaiser Konstantin. Annalen einer Zeitenwende (München 1957) 22; K. Gamber, Nochmals zur ältesten Bischofskirche in Aquileja, in: Archiv für Liturgiew. 26 (1984) 347–350.
32 Vgl. M. M. Roberti, Considerazioni sulle aule teodoriane di Aquileia, in: Studi Aquileiesi offerti a G. Brusin (Aquileia 1953) 209–244; Domus ecclesiae 21–26; dazu Gamber, Nochmals zur ältesten Bischofskirche 347 bzw. Anhang.
33 Vgl. DACL I 2663; J. Fink, Der Ursprung der ältesten Kirchen am Domplatz von Aquileja (Münstersche Forschungen 7, Münster/Köln 1954) Abb. 11. Schematischer Grundriß der nach 452 entstandenen Doppelbasilika bei K. Gamber, Sarmannina. Studien zum Christentum in Baiern und Österreich während der Römerzeit (Studia patristica et liturgica 11, Regensburg 1982) 10.
34 Vgl. Th. K. Kempf, Erläuterungen zum Grundriß der frühchristlichen Doppelanlage, in: Fr. J. Ronig (Hg.), Der Trierer Dom (Neuß 1980) 112–116.
35 Vgl. K. Gamber, Ecclesia Reginensis. Studien zur Geschichte und Liturgie der Regensburger Kirche im Mittelalter (Studia patristica et liturgica 8, Regensburg 1979) 43–45.
36 Vgl. Domus ecclesiae 26–28.
37 Vgl. G. C. Menis, La »Basilica doppia« in un recente volume di »Atti«, in: Rivista di archeologia cristiana 40 (1964) 123–133.
38 Vgl. Domus ecclesiae 48–50.
39 Vgl. Domus ecclesiae 29–33; Menis, La basilica paleocristiana (Anm. 30) 165–179.
40 Vgl. R. Egger, Frühchristliche Kirchenbauten im südlichen Norikum (Sonderschriften des Österr. Archäol. Institutes IX, Wien 1916) 79. – Diese Tische (»Offertoria«) entsprechen den beiden Altären in den Seitenapsiden in den im folgenden besprochenen Kreuzkirchen und Dreiapsidenkirchen. Zu den »offertoria« vgl. J. Corblet, Histoire du sacrament de l'eucharistie II (Paris 1886) 229.
41 Vgl. Domus ecclesiae 33; Menis, La basilica paleocristiana (Anm. 30) 145–147.
42 Vgl. Menis a.a.O. 79–103.
43 Zum Bema vgl. O. Nußbaum, Der Standort des Liturgen am christl. Altar (Theophaneia 18, Bonn 1965) I, 26–30.
44 Domus ecclesiae 54–56.
45 B. Ita, Antiker Bau und frühmittelalterliche Kirche (Zürich 1961).
46 Vgl. Büttner – Müller, Frühes Christentum (Anm. 11) 129; H. Dannheimer, Epolding – Mühlthal. Siedlung, Friedhöfe und Kirche des frühen Mittelalters (München 1968) Tafel D. Der nach älteren Untersuchungen angefertigte Grundriß in: Domus ecclesiae 47 ist überholt.

47 Vgl. J. Pircher, Sankt Zenokirche Naturns (Naturns 1975).
48 Vgl. H. Dolenz, Die frühchristliche Kirche von Laubendorf am Millstätter See, in: Festschrift Gotbert Moro (Beigabe zum 152. Jg. der Carinthia I, Klagenfurt 1962) 38–64; Gamber, Sarmannina (Anm. 33) 79 f.
49 Vgl. Gamber, Sarmannina a.a.O. 58–82.
50 Vgl. G. Brusin – P. L. Zovatto, Monumenti paleocristiani di Aquileia e di Grado (Udine 1957) 458–462.
51 Hinter solchen Vorhängen hatte sich eine »virgo consecrata« versteckt, um ein erwartetes Wunder Severins mitzuerleben; vgl. Noll, Eugippius (Anm. 21) 81.
52 Vgl. Noll, Eugippius a.a.O. 75; Gamber, Sarmannina (Anm. 33) 66.
53 Vgl. Nußbaum, Der Standort des Liturgen (Anm. 43) II, Tafeln 5 und 7, S. 9 f. Dieser Vorhof auf der Südseite gehört zum Typus des nordsyrischen Hauses; vgl. G. Kunze, Lehre – Gottesdienst – Kirchenbau I (Göttingen 1949) 59.
54 Vgl. L. Eckhart, Die frühmittelalterliche Märtyrerkirche von Lauriacum, in: Studi di antichità cristiana XXVII (Roma–Berlin 1965) 479–483; ders., Die Heiligen der Lorcher Basilika und die Archäologie, in: Oberösterreichische Heimatblätter 36 (1982) 28–41.
55 Vgl. Noll, Eugippius (Anm. 21) 93 f.
56 Vgl. G. C. Menis, Plebs de Nimis. Ricerche sull' architettura romanica ed altmedioevale in Friuli (Udine 1968).
57 Vgl. K. Gamber, Liturgie und Kirchenbau. Studien zur Geschichte der Meßfeier und des Gotteshauses in der Frühzeit (Studia patristica et liturgica 6, Regensburg 1976) 105 (mit Abbildung).
58 Vgl. K. Schwarz, Die Ausgrabungen im Niedermünster zu Regensburg (Führer zu archäologischen Denkmälern in Bayern 1, Laßleben 1971) 28 ff.; dazu K. Gamber, Ecclesia Reginensis. Studien zur Geschichte und Liturgie der Regensburger Kirche im Mittelalter (Studia patristica et liturgica 8, Regensburg 1979) 33, 71 f.
59 Vgl. K. Gamber, Sancta sanctorum. Studien zur liturgischen Ausstattung der Kirche, besonders des Altarraums (Studia patristica et liturgica 10, Regensburg 1981) 89–108.
60 Vgl. K. Gamber, Die Kirche St. Prokulus bei Naturns. Stammen die Fresken von einem bairischen Maler aus der Zeit Tassilos?, in: Der Schlern 53 (1979) 131–137.
61 Vgl. P. Bloch, Das Apsismosaik von Germigny-des-Prés, in: Karl der Große. Lebenswerk und Nachleben III. Karolingische Kunst (Düsseldorf 1965) 234–261.
62 Vgl. J. Cibulka, Großmährische Kirchenbauten, in: Sancti Cyrillus et Methodius. Leben und Wirken (Praha 1963) 49–90.
63 Vgl. O. Mothes, Die Baukunst des Mittelalters in Italien I (Jena 1884) 325; H. Vogel, Über die Anfänge des Zenokultes in Baiern, in: Beiträge zur altbairischen Kirchengeschichte 27 (München 1973) 177–203, hier 179.

64 Der Grundriß des Heiligtums von J. Hubert u. a., Die Kunst der Karolinger (München 1969) 310 Abb. 371 zeigt die spätere (barocke) Gestalt.
65 Vgl. Gamber, Ecclesia Reginensis (Anm. 35) 107–112.
66 Vgl. K. Gamber, Das Tassilo-Sakramentar. Das älteste erhaltene Regensburger Meßbuch, in: Münchener Theol. Zeitschrift 12 (1961) 205–
   209.
67 Vgl. Mothes, Die Baukunst (Anm. 63) 273 f.
68 Allgemein zum Querschiff der Kreuzkirchen vgl. H. Dittmar, Der
   Kampf der Kathedralen (Wien–Düsseldorf 1964) 99–104. So heißt es
   z. B. in der Weiheinschrift der von Ambrosius († 397) gegründeten
   Apostelkirche in Mailand: »Forma crucis templum, templum victoria
   Christi.«
69 Vgl. Menis, La basilica paleocristiana (Anm. 30) 105–135; R. Egger,
   Teurnia. Die römischen und frühchristlichen Altertümer (Klagenfurt
   ⁶1970); A. Maier, Kirchengeschichte von Kärnten I (Klagenfurt 1951)
   11–19. – Von der eigentlichen Bischofskirche von Teurnia sind nur Teile
   bei Versuchsgrabungen freigelegt worden.
70 Vgl. Fr. Miltner – R. Egger, Fliehburg und Bischofskirche, in: Frühmittelalterliche Kunst in den Alpenländern (Actes du IIIe congrès international pour l'étude du haut moyen âge 1951) 17–31, hier 24 ff.
71 Vgl. Gamber, Ecclesia Reginensis (Anm. 35) 35–38.
72 Zum gleichen Typus gehören u. a. der 1. Bau des Klosters Romainmotier
   (vgl. den Grundriß 340 in: J. Hubert u. a., Frühzeit des Mittelalters,
   München 1968, 309) und die frühchristliche Kirche von Cousset in der
   Nähe von Peterlingen.
73 Vgl. R. Lunz, Frühmittelalterliche Stuckornamente von St. Peter bei
   Meran (Archäol.-hist. Forschungen in Tirol, Beiheft 1, 1978); U. und
   E. Theil, St. Peter ob Gratsch bei Tirol (Laurin-Kunstführer 7, ³1985).
74 Vgl. W. Pippke – I. Pallhuber, Südtirol (DuMont Kunst-Reiseführer,
   Köln 1981) 206 f. (mit Grundriß).
75 Vgl. M. J. Lagrange, in: Revue biblique 6 (1897) 614–615; DACL IV
   2588–2590.
76 Vgl. E. Melas, Die griechischen Inseln (DuMont Kunst-Reiseführer,
   Köln 1976) 92.
77 Vgl. A. Tschilingirov, Die Kunst des christlichen Mittelalters in Bulgarien (München 1979) 315.
78 Vgl. Gamber, Sancta sanctorum (Anm. 59) 54.
79 Vgl. W. Sulser, Die St. Prokuluskirche in Chur, in: Frühmittelalterliche
   Kunst (Anm. 72) 150–166; I. Müller, Disentiser Klostergeschichte I
   (Einsiedeln/Köln 1942) Abb. S. 31 und 35.
80 Vgl. L. Birchler, Zur karolingischen Architektur und Malerei in Münster–Müstair, in: Frühmittelalterl. Kunst 167–243.
81 Vgl. Gamber, Sancta sanctorum (Anm. 59) Abb. S. 60 bzw. 51–88 (Hier
   auch Literaturangaben zum folgenden).
82 Vgl. O. Nußbaum, Die Aufbewahrung der Eucharistie (Theophaneia

29, Bonn 1979) 363 und Abb. 28. Aus der 2. Hälfte des 7. Jh. stammt das »Mumma-Reliquiar«, ebenfalls ein Ziborium als eine hausförmige, mit vergoldetem Kupferblech verkleidete »arca«; vgl. L. Gischia u. a., Frühe Kunst im westfränkischen Reich (Leipzig 1939) Abb. 13–15.

83 Vgl. K. Gamber, Die Meßfeier nach altgallikanischem Ritus anhand der erhaltenen Dokumente dargestellt (Studia patristica et liturgica 14, Regensburg 1984) 9 f.

84 Vgl. Gamber, Die Meßfeier a.a.O. 35–37.

85 Vgl. G. Schiller, Ikonographie der christl. Kunst III (Gütersloh 1971) Abb. 662.

86 Vgl. N. Rasmo, St. Benedikt in Mals (Bozen 1981).

87 Vgl. Bichler, Zur karolingischen Architektur (Anm. 80) 216–219.

88 Vgl. Gamber, Sancta sanctorum (Anm. 59) 73–79.

89 Vgl. Gamber, Sarmannina (Anm. 33) 58–82.

90 Vgl. L. Kitschelt, Die frühchristl. Basilika als Darstellung des himmlischen Jerusalem (Münchener Beiträge zur Kunstgeschichte 3, München 1938); A. Stange, Das frühchristliche Kirchengebäude als Bild des Himmels (Köln 1950).

Zu Anhang: Zur ältesten Bischofskirche von Aquileja

1 K. Gamber, Domus ecclesiae. Die ältesten Kirchenbauten Aquilejas sowie im Alpen- und Donaugebiet bis zum Beginn des 5. Jahrhunderts, liturgiegeschichtlich untersucht. Regensburg 1968 (SPLi 2).

2 H. Brakmann, Die angeblichen eucharistischen Mahlzeiten des 4. und 5. Jahrhunderts. Zu einem neuen Buch Klaus Gambers, in: RQ 65 (1970) 82–97.

3 K. Gamber, Sacrificium verpertinum. Regensburg 1983 (SPLi 12).

4 Ebd. 34–61.

5 Ebd. 68–91.

6 G. Brusin, Due nuovi sacelli cristiani di Aquileia 1961 (Assoc. Naz. per Aquileia, Quaderno 7).

7 W. N. Schumacher, Hirt und »Guter Hirt«. Studien zum Hirtenbild in der römischen Kunst vom 2. bis zum Anfang des 4. Jahrhunderts unter besonderer Berücksichtigung der Mosaiken in der Südhalle von Aquileja. Rom, Freiburg/Br. 1977 (RQ.S 34).

8 L. Voelkl, Der Kaiser Konstantin. Annalen einer Zeitenwende. München 1957, 72.

9 Schumacher, Hirt 253 ff.

10 Ebd. Taf. 56–58.

11 J. Fink, Der Ursprung der ältesten Kirchen am Domplatz von Aquileja. Münster, Bonn 1954 (Münstersche Forsch. 7) 60.

12 Voelkl 71 f.

13 G. Brusin – P. Zovatto, Monumenti paleocristiani di Aquileia e di

Grado. Udine 1957, 94 ff.; dazu W. N. Schumacher, Viktoria in Aquileja, in: Tortulae. Studien zu altchristlichen und byzantinischen Monumenten. Hg. von W. N. Schumacher. [Fs. J. Kollwitz.] Rom, Freiburg/Br. 1966 (RQ.S 30) 250–271.

14 Vgl. S. Tavano, Aquileia cristiana. Udine 1972 (Antichità alto-adriatiche 3) 47 ff.

15 Vgl. die Abbildung bei Fink Taf. 9.

16 O. Nußbaum, Der Standort des Liturgen am christlichen Altar. Bd. 1 Bonn 1965 (Theophaneia 18) 221 ff.

17 Vgl. K. Gamber, Der Ordo Romanus IV ein Dokument der ravennatischen Liturgie des 8. Jahrhunderts, in: RQ 66. 1971 (154–170) 163 ff.

18 Vgl. O. Nußbaum, Zur liturgischen Ordnung im nordafrikanischen Kirchenbau, in: Christl. Kunstbl. 105. 1967, 74 ff.

19 G. Brusin, Il posto dell'altare in chiese veterocristiane del Veneto e del Norico, in: Festschrift für Rudolf Egger. Beiträge zur älteren europäischen Kulturgeschichte. Schriftl.: G. Moro, Bd. 1. Klagenfurt 1952, 224.

20 Vgl. K. Gamber, Sarmannina. Studien zum Christentum in Bayern und Österreich während der Römerzeit. Regensburg 1982 (SPLi 11) 80 f.

21 Vgl. Testamentum D. n. J. Chr. 19 (ed. Rahmani 23): »Habeat ecclesia aedem catechumenorum, quae sit etiam aedes exorcizandorum: neque dicta aedes separata sit ab ecclesia (i. e. ab aede sacra), cum necesse sit, ut (catechumeni), eam ingredientes, et in ipsa stantes, audiant lectiones, cantica spiritualia et psalmos.«

Zu: Die Rolle Aquilejas und der bairischen Diözesen bei der Missionierung der Westslaven

1 Vgl. K. Gamber, Der Erzbischof Methodius von Mähren vor der Reichsversammlung in Regensburg des Jahres 870, in: Ecclesia Reginensis (= Studia patristica et liturgica 8) Regensburg 1979, 154–164.

2 Über den Prozeß berichtet allein die altslavische Vita Methodii (c. 9); deutsch herausgegeben von J. Bujnoch, Zwischen Rom und Byzanz. Leben und Wirken der Slavenapostel Kyrillos und Methodios nach den Pannonischen Legenden und der Klemensvita (= Slavische Geschichtsschreiber I) Graz–Wien–Köln ²1972, 118 f., im folgenden »Bujnoch« abgekürzt; vgl. auch J. Maß, Bischof Anno von Freising, Richter über Methodius in Regensburg, in: (Fr. Zagiba), Methodiana. Beiträge zur Zeit und Persönlichkeit sowie zum Schicksal und Werk des hl. Method (= Annales Instituti Slavici 9), Wien–Köln–Graz 1976, 31–44, im folgenden »Methodiana« abgekürzt.

3 Vgl. Fr. Mayer, Causa Methodii, in: Welt der Slaven (1970) 335 ff.

4 Vgl. A. W. Ziegler, Die Absetzung des Erzbischofs Methodius im Lichte der altkirchlichen Rechtsgeschichte, in: Beiträge zur altbayeri-

schen Kirchengeschichte 24,1 (München 1965) 11–24. Method hatte bei seiner Verhaftung eine Canones-Sammlung – wohl ein Geschenk des Papstes – mitgenommen; sie wurde ihm nach dem Prozeß abgenommen und befand sich später im Kloster St. Emmeram in Regensburg (heute in München, Clm 14008); vgl. F. V. Mareš, The Slavic St. Emmeram Glosses, in: International Journal of Slavic Linguistics and Poetics 12 (1969) 8–18 (mit Abbildung der slavischen Glossen).

5 Vgl. Magnae Moraviae Fontes Historici III (Brno 1969) Ep. Nr. 90.

6 Vgl. L. E. Havlík, Das pannonische Erzbistum im 9. Jh. im Lichte der wechselseitigen Beziehungen zwischen Papsttum und den ost- und weströmischen Imperien, in: Methodiana 45–60; J. Matzke, Mährens frühes Christentum (= Schriftenreihe des Sudetendeutschen Priesterwerks 13) Königstein 1969, S. 41 ff.; V. Burr, Anmerkungen zum Konflikt zwischen Methodius und den bayerischen Bischöfen, in: M. Hellmann u. a. (Hg.), Cyrillo-Methodiana. Zur Frühgeschichte des Christentums bei den Slaven (Köln–Graz 1964) 39–56, im folgenden »Cyrillo-Methodiana« abgekürzt. Zu Velehrad vgl. Bujnoch 231 Anm. 86.

7 Vgl. die Karte III in: P. Kovalevsky, Bildatlas der Kultur und Geschichte der slavischen Welt (München–Basel–Wien o. J.); Z. R. Dittrich, Christianity in Great-Moravia (Groningen 1962); J. Poulík, Das Großmährische Reich, in: Fr. Zagiba (Hg.), Annales Instituti Slavici II (Wiesbaden 1966) 87–102; H. Preidel, Die Anfänge der slavischen Besiedlung Böhmens und Mährens II (Gräfelfing bei München 1957) 102–145: Das »Großmährische Reich«; A. Grébert, Die Slowaken und das Großmährische Reich (München 1965) mit reicher Bibliographie 54–64.

8 Vgl. G. László, Die Awaren und das Christentum im Donauraum und im östlichen Mitteleuropa, in: Annales Instituti Slavici V (Wiesbaden 1969) 141–152; V. Popovic, Le dernier évêque de Sirmium, in: Revue des Études Augustiniennes (1975) 91–110.

9 Vgl. Pauly-Wissowa, Realencyclopädie der classischen Altertumswissenschaften IX, 1085–1088.

10 Vgl. H. Leclercq, Illyricum, in: Dictionnaire d'archéologie chrétienne et de liturgie VII 89–180. Die zum oströmischen Reich gehörenden Provinzen des Illyricum unterstanden kirchlich dem Bischof von Thessaloniki als päpstlichem Vikar. Bereits 421 versuchte Theodosius dieses päpstliche Vikariat dem Patriarchen von Konstantinopel zu unterstellen.

11 Vgl. J. Zeiller, Les origines chrétiennes dans les provinces danubiennes (Paris 1918).

12 Vgl. K. Gamber, Zur Liturgie Illyriens. Die lateinischen Quellen vom 4. bis 6. Jh., in: Sakramentarstudien (= Studia patristica et liturgica 7) Regensburg 1978, 145–149: Die »Fragmenta Ariana«.

13 Vgl. G. C. Menis, Documenti inediti dell' Archivio Patriarchale di

Udine interessanti la storia religiosa degli Slavi occidentali, in: Annales Instituti Slavici III (1967) 105–112, hier 105.

14 Vgl. P. Paschini, Sulle origine della Chiesa di Aquileia (Udine 1909); ders., Storia del Friuli I (Udine 1934).

15 Vgl. K. Gamber, Bischöfe in Regensburg schon zur Römerzeit?, in: Sacramentorum (= Studia patristica et liturgica 13) Regensburg 1984, 142–146.

16 Vgl. R. Bauerreiß, Das frühmittelalterliche Bistum Neuburg im Staffelsee, in: Studien und Mitteilungen OSB 60 (1946) 377–438.

17 Vgl. A. Sparber, Das Bistum Sabiona (Bressanone 1942).

18 Herausgegeben von G. Bianchini, Evangelium quadruplex latinae versionis antiquae (Romae 1749); vgl. C. R. Gregory, Textkritik des Neuen Testaments II (Leipzig 1902) 629.

19 Vgl. De Bruyne, Les notes liturgiques du Codex Forojuliensis, in: Rev. Bénéd. 30 (1913) 208–218.

20 Gesamtausgabe der Eigennamen durch C. L. Bethmann, in: Neues Archiv der Ges. f. ältere deutsche Geschichtskunde II (1877) 111–128; A. Cronia, Revision der slavischen Eigennamen im alten Evangeliar von Cividale, in: Wiener Slavistisches Jahrbuch II (1952) 6–21 (mit weiterer Literatur).

21 Vgl. Vita Constantin c. 16 (Bujnoch 97–102); F. Grivec, Konstantin und Method (Wiesbaden 1960) 73; Fr. Zagiba, Die Missionierung der Slaven aus »Welchland« (Patriarchat Aquileja) im 8. und 9. Jh., in: Cyrillo-Methodiana 274–311, hier 295–298.

22 Der Text der Inschrift lautet: »Hic requiescit in pace Christi sanctae memoriae Marcianus epis(copus). Qui vivit in episcopatu annos XLIII et peregrinatur est pro causa fidei annos XL. Depositus est autem in hoc sepulchro VIII Kal(endas) Maias indict(ione) undecima« (Mitteilung von Prof. G. Brusin, Aquileia).

23 An der Save (im pannonischen Kroatien) versuchte sich das (neue, seit 610) Patriarchat von Grado in Konkurrenz zu Aquileja durchzusetzen.

24 Zur Literatur: K. Bosl, Probleme der Missionierung des böhmisch-mährischen Herrschaftsraums, in: Cyrillo-Methodiana 1–38; Zagiba, Die Missionierung (Anm. 21); M. Hellmann, Karl und die slavische Welt zwischen Ostsee und Böhmerwald, in: W. Braunfels (Hg.), Karl der Große, I. Bd. Persönlichkeit und Geschichte (Düsseldorf 1966) 708–718; J. Deér, Karl d. Gr. und der Untergang des Awarenreiches, ebd. 719–791; I. Zibermayr, Noricum, Baiern und Österreich (Horn 1972) 348–365: Der kirchliche Kampf um Pannonien und Mähren; H. Koller, Bayerisch-fränkische Kolonisation in Pannonien im 8. Jh., in: Annales Instituti Slavici II (1966) 51–61.

25 Vgl. G. Leidinger, Das sog. Evangeliarium des heiligen Korbinian, in: J. Schlicht (Hg.), Wissenschaftl. Festgabe zum 1200jährigen Jubiläum des hl. Korbinian (München 1924) 79–102.

26 Vgl. Leidinger a.a.O. 100f.; Gamber (Anm. 12) 150–154.

27 Vgl. die Abbildung ebd. nach S. 80; farbige Wiedergabe in: Cimelia Monacensia. Wertvolle Handschriften und frühe Drucke der B. Staatsbibliothek München (Wiesbaden 1970) 87.

28 Statt VALERIANIS wurde früher VALERIANUS gelesen; dazu Gamber (Anm. 12) 154.

29 Über diese Reise berichtet die Korbinians-Vita des Arbeo (ed. Krusch 202,18 und 204,10); vgl. Leidinger (Anm. 25) 101.

30 Vgl. Bujnoch 22.

31 Vgl. Fr. Zagiba, Zur Geschichte Kyrills und Methods und der bairischen Ostmission, in: Jahrbücher für Geschichte Osteuropas NF 9 (1961) 247–276, hier 256f.

32 Vgl. Th. von Bogyay, Kontinuitätsprobleme im karolingischen Unterpannonien, in: Annales Instituti Slavici II (1966) 62–68.

33 Vgl. H. Schnell, Bayerische Frömmigkeit (München–Zürich 1963) 28 und Tafel 35.

34 Vgl. J. Cibulka, Großmährische Kirchenbauten, in: Sancti Cyrillus et Methodius. Leben und Wirken (Praha 1963) 49–117. Quadratischen Chorabschluß findet sich aber nicht nur bei den Iro-Schotten, sondern im ganzen Gebiet des Patriarchats Aquileja; vgl. K. Gamber, Sancta Sanctorum. Studien zur liturgischen Ausstattung der Kirche, vor allem des Altarraums (= Studia patristica et liturgica 10) Regensburg 1981, 91.

35 Vgl. L. K. Goetz, Geschichte der Slavenapostel (Gotha 1897) 71–75; Grivec, Konstantin und Method (Anm. 21) 92.

36 Vgl. c. 12 (MGH, Scriptores XI,13).

37 Herausgegeben von A. E. Burn, Neue Texte zur Geschichte des Apostolischen Symbols V., in: Zeitschrift für Kirchengeschichte 25 (1904) 148–154.

38 Herausgegeben von M. Heer, Ein karolingischer Missions-Katechismus (= Biblische und Patristische Forschungen 1) Freiburg 1911.

39 Vgl. E. Herrmann, Zur frühmittelalterlichen Regensburger Mission in Böhmen, in: Verhandlungen des Historischen Vereins für Oberpfalz und Regensburg 101 (1960/61) 175–187 (mit der älteren Literatur); Fr. Zagiba, Regensburg und die Slaven im frühen Mittelalter, ebd. 104 (1964) 223–233; P. Mai, Regensburg als Ausgangspunkt der Christianisierung Böhmens, in: J. Staber u. a. (Hg.), Millenium Ecclesiae Pragensis (= Schriftenreihe des Regensburger Osteuropainstituts 1) Regensburg 1973, 9–21; ders., Regensburg und der Osten, in: Kanon. Die Kirche und die Kirchen. Autonomie und Autokephalie, 1. Teil (Wien 1980) 15–33; Z. Krumphanzlová, Die Regensburger Mission und der Sieg der lateinischen Kirche in Böhmen im Licht archäologischer Quellen, in: Annales Instituti Slavici VIII (1974) 20–41.

40 Annales Fuldenses ad 845 (MGH, Script. VII,35).

41 Vgl. Mai, Regensburg als Ausgangspunkt (Anm. 39) 10.

42 Vgl. Mai, Regensburg und der Osten (Anm. 39) 18.

43 Vgl. K. Bosl, Probleme der Missionierung des böhmisch-mährischen Herrschaftsraums, in: Cyrillo-Methodiana 1–38, hier 33.

44 Vgl. A. Dold – L. Eizenhöfer, Das Prager Sakramentar (= Texte und Arbeiten 38–42) Beuron 1949; K. Gamber, Codices liturgici latini antiquiores (= Spicilegii Friburgensis Subsidia 1) ²Freiburg/Schweiz 1968, Nr. 630, S. 308, im folgenden »CLLA« abgekürzt.

45 Vgl. CLLA Nr. 631 und 632, S. 309f.

46 Vgl. CLLA Nr. 882, S. 399 und K. Gamber, Sacramentaria praehadriana, in: Scriptorium 27 (1973) 3–15, hier 10–12 bzw. 6–7.

47 In seiner Vita s. Wenzeslai formuliert Gumbold den kirchenrechtlichen Status Böhmens in der 1. Hälfte des 10. Jh. wie folgt: »Cuius (sc. Ratisbonensi) dioecesi tota subcluditur Boemia«; vgl. Fontes rerum Bohemicarum I, 157.

48 Vgl. Fr. Mayer, Die Errichtung des Bistums Prag, in: Millenium Ecclesiae Pragensis (Regensburg 1973) 23–42.

49 Vgl. Fontes rerum Bohemicarum I, 186; vgl. Mai, in: Millenium (wie Anm. 39) 9.

50 Vgl. Cosmar, Chronica Boemiorum (MGH Script. rer. Germ. NS I, 23 ²1955) 44: »Et quoniam Sclavonicam perfecte linguam sciebat.«

51 Vgl. Herrmann (Anm. 39) 182.

52 Vgl. J. Kadlec, Das Vermächtnis der Slavenapostel Cyrill und Method im böhmischen Mittelalter, in: Annales Instituti Slavici IV (1968) 103–137, hier 105, wo auf ein Bruchstück der Errichtungsurkunde des Prager Bistums hingewiesen wird: »Auf deinen Wunsch senden wir dir einen Bischof und erheben die Prager Kirche zur Kathedrale mit der Weisung, daß der Gottesdienst nicht nach dem Ritus der Griechen, sondern nach dem Ritus der römischen Kirche gehalten werde.« Wenn sich der Papst in Prag keinen Gottesdienst nach dem Ritus der Griechen gewünscht hat, so kann er damit nur den slavischen Ritus der Method-Schüler im Sinn gehabt haben.

53 Vgl. F. M. Mareš, Die slavische Liturgie zur Zeit der Gründung des Prager Bistums, in: Annales Instituti Slavici VIII (1974) 95–110, hier 108.

54 Vgl. L. Pokorný, Die slavische Cyrillo-Methodianische Liturgie, in: Sancti Cyrillus et Methodius. Leben und Wirken (Praha 1963) 118–129, hier 119–123.

55 K. A. C. Höfler – P. J. Šafařík, Glagolitische Fragmente (Prag 1857); V. Tkadlčik, Byzantinischer und römischer Ritus in der slavischen Liturgie, in: E. Suttner – C. Patock (Hg.), Wegzeichen. Festgabe M. Biedermann (= Das östl. Christentum NF 25) Würzburg 1971, 313–332, hier 329.

56 Herausgegeben von H. Böhm, Das Wertheimer glagolitische Fragment (= Slavisch-Baltisches Seminar Münster 2) Meisenheim 1959.

57 Vgl. J. Racek, Das älteste tschechische Bittlied »Hospodine, pomiluj ny«, in: Annales Instituti Slavici III (1967) 46–50.

58 Vgl. Mareš (Anm. 53) 95 f., 99 f.

59 Vgl. J. Staber, Regensburgs politisch-geschichtlicher und sozialer Aufstieg im 9. Jh., in: Cyrillo-Methodiana 22–30.

60 Vgl. Mai, Regensburg und der Osten (Anm. 39) 17.

61 Vgl. K. Schrödl, Passavia sacra. Geschichte des Bistums Passau (Passau 1879) 43.

62 Vgl. S. Pirschegger, Untersuchungen über die altslovenischen Freisinger Denkmäler (Leipzig 1931); A. Isacenko, Zur Frage der deutsch-slavischen literarischen Beziehungen, in: Zeitschrift für slav. Philologie 19 (1947) 303–311; Fr. Tomšič, Freisinger Denkmäler im Licht der geschichtlichen Tatsachen, in: Annales Instituti Slavici IV (1968) 169–174.

63 Vgl. N. Daniel, Handschriften des 10. Jh. aus der Freisinger Dombibliothek (= Münchener Beiträge 11) München 1973, 114–139.

64 Vgl. Tomšič (Anm. 62) 170.

65 Vgl. G. Ehrismann, Geschichte der deutschen Literatur bis zum Ausgang des Mittelalters I (München 1918) 310 f. Auch »Offene Schuld« genannt.

66 Es handelt sich um eine »Adhortatio ad poenitentiam«; vgl. J. Pogačnik, Das zweite Freisinger Denkmal als literaturgeschichtliches Problem, in: Annales Instituti Slavici IV (1968) 175–178.

67 Vgl. Zagiba, Regensburg und die Slaven (Anm. 39) 231.

68 Vgl. Ehrismann (Anm. 65) 325–329.

69 Vgl. Nahtigal, Euchologium Sinaiticum (Ljubljana 1941).

70 Vgl. Fr. Repp, Zur Kritik der kirchenslavischen Übersetzung des St. Emmeramer Gebetes im Euchologium Sinaiticum, in: Zeitschrift für slav. Philologie 22, 315–332; Zagiba (Anm. 39) 231.

71 Vgl. Zagiba, Regensburg und die Slaven (Anm. 39) 230 f.

72 Vgl. Fr. Zagiba, Neue Probleme der Kyrillo-methodianischen Forschung, in: Ostkirchl. Studien 11 (1962) 97–130, hier 123. Bereits 731 hatte Kaiser Leo III dem römischen Patriarchat jene Provinzen entrissen, die damals unter oströmischer Herrschaft geblieben waren bzw. kamen; vgl. L. H. Havlík, Das pannonische Erzbistum im 9. Jh., in: Methodiana 45–69, hier 49 f.

73 Vgl. J. Oswald, Der Mährenbischof Wiching und das Bistum Passau, in: Annales Instituti Slavici III (1967) 11–14; J. Kadlec, Die sieben Suffragane des hl. Methodius in der Legende des sog. Christian, in: Methodiana 61.

74 Vgl. O. Odložilík, From Velehrad to Olomouc (= Harvard Slavic Studies II, 1954) 75–90.

75 Herausgegeben von V. Jagic, Glagolitica (1890); C. Mohlberg, Il messale glagolitico di Kiew (= Atti della Pont. Accad. Rom. di Archeologica, Serie III, Memorie II) Roma 1928; weitere Literatur CLLA Nr. 895.

76 Thadlčik, Byzantinischer und römischer Ritus (Anm. 55) 324: »(Die)

Handschrift stammt zweifellos aus der Zeit Großmährens, also bereits aus dem 9. Jahrhundert.«

77 Wie ich zuerst annahm; vgl. Die Kiewer Blätter in sakramentarge-schichtlicher Sicht, in: Cyrillo-Methodiana 362–371, hier 365.

78 Vgl. E. Esser, Wo fand der hl. Konstantin-Kyrill die Gebeine des hl. Clemens von Rom?, in: Cyrillo-Methodiana 126–147.

79 Vgl. Mohlberg, Il messale (Anm. 75) 213, Anm. 22.

80 Gamber, Die Kiewer Blätter (Anm. 77); ders., Das Meßbuch Aquilejas im Raum der bayerischen Diözesen um 800, in: Annales Instituti Slavici VIII (1974) 111–118.

81 So auch in einem lateinischen Libellus in St. Gallen (Cod. 150), der nur diese 7. Messe enthält; vgl. CLLA Nr. 894.

82 Zur Frage des Zeitpunktes der stillen Rezitation des Meßkanons (Mitte des 8. Jh.) vgl. J. A. Jungmann, Missarum Sollemnia II (²1949) 126f.

83 Frühe Evangelistare in: CLLA Nr. 1115ff., darunter aus dem Patriar-chat Aquileja Nr. 1130 und 1131.

84 Vgl. Bujnoch 124. Im Gegensatz dazu steht eine Stelle in der Vita Constantini c. 15 (Bujnoch 95), wo es heißt, Konstantin habe gleich nach seiner Ankunft in Mähren die gesamte Kirchenordnung übersetzt. Hier wird deutlich aus späterer (bulgarischer?) Sicht berichtet.

85 Vgl. Mohlberg (Anm. 75) 313, Formel 18.

86 Chrysostomus-Anaphora (ed. Brightman 384, 27–28).

87 Vgl. Tkadlčik (Anm. 55) 321f.

88 Vgl. Mohlberg (Anm. 75) 313, Formel 20. Der lateinische Text lautet: »Rege nostras domine propitius voluntates, ut nec propriis iniquitatibus implicentur, nec subdantur alienis, per d.«

89 Vgl. Mohlberg a.a.O. 318–320.

90 Vgl. K. Gamber, Das Wiener Fragment eines glagolitischen Sakramen-tars, in: Acta Instituti Slavici II (1967) 80–83 bzw. Abdruck im Anhang.

91 Vgl. CLLA Nr. 1280 S. 487.

92 Vgl. Bujnoch 210f.

93 Vgl. Pokorný (Anm. 54) 125.

94 Vgl. Tkadlčik (Anm. 55) 325f.

95 Vgl. Tkadlčik a.a.O. 320; Bujnoch 22.

96 Vgl. H. W. Codrington, The Liturgy of Saint Peter (= Liturg. Quellen und Forschungen 30) Münster 1936.

97 Vgl. K. Gamber, Zur Liturgie Süditaliens. Die griechisch-lateinischen Meßlibelli, in: Sakramentarstudien (1978) 177–184; Codrington a.a.O. 117ff.

98 Ähnlich Pokorný (Anm. 54) Anm. 123.

99 Vgl. Gamber (Anm. 97) 183f.

100 Vgl. Codrington a.a.O. 171f.

101 Vgl. P. Duthilleul, L'Évangélisation des slaves. Cyrille et Méthode (= Bibl. de Théologie 5) Tournai 1963, 156: »Le texte slave que nous possédons ne peut etre mis en cause ici, étant trop tartiv.«

102 Etwas anders ist es mit den Anklängen an die Fassung des römischen Canon, wie er in der griechischen Petrus-Liturgie vorliegt, in den späteren glagolitischen Missalien, worauf St. Smržik, The Glagolitic or Roman-Slavonic Liturgy (Cleveland–Roma 1959) 84ff. aufmerksam macht. Diese Fassung kann nicht auf die Slavenlehrer zurückgehen, da diese, wie oben gezeigt, den lateinischen Canon unübersetzt gelassen haben. Die Vorlage des Canons in den späteren glagolitischen Missalien war offensichtlich ein griechisch-lateinischer Meßlibellus, wie er in Süditalien (und Dalmatien) in liturgischem Gebrauch war; bezüglich der griechischen Sprache in Dalmatien vgl. G. Novak, Das griechische Element in Dalmatiens Städten, in: E. Swoboda (Hg.), Carnuntina (Graz–Köln 1956) 117–125.

103 So hatten bereits die im 4. Jh. zum Christentum bekehrten arianischen Goten die Liturgie in gotischer Sprache gefeiert.

104 Vgl. Vita Methodii c. 8 (Bujnoch 116–118).

105 Vgl. Friedrich, Codex Diplomaticus Bohemiae I Nr. 24, S. 19f.

106 Vgl. ebd. Nr. 26, S. 22–26; Duthilleul (Anm. 101) 8.

107 Vgl. Grivec, Konstantin und Method (Anm. 21) 128–132.

108 Vgl. Smrzík, The Glagolitic (Anm. 102) Abb. nach S. 48; Fr. Zagiba, Wo wird die westliche Liturgie in kirchenslavischer Sprache noch heute gepflegt?, in: Zweiter intern. Kongreß f. kathol. Kirchenmusik. Bericht (Wien 1954) 89–92; S. Graciotti, in: Annales Instituti Slavici III (1967) 67–79; D. Kniewald, ebd. 55–66.

Zu Anhang: Das Fragment eines glagolitischen Sakramentars in Wien

1 Herausgegeben von V. Jagić, Glagolitica (Denkschrift der k. Akademie d. W., Phil.-hist. Klasse, 38, 1890) II,1–62; vgl. auch K. Gamber, Das glagolitische Sakramentar der Slavenapostel Cyrill und Method und seine lateinische Vorlage (Ostkirchl. Studien 6, 1957) S. 165–173.

2 V. Jagić, Glagolitica a.a.O. II,1–44; vgl. auch C. Mohlberg, Atti della Pont. Accad. di Archeologia (Serie III, Memorie, Vol. II) S. 318–320.

3 H. Böhm, Das Wertheimer glagolitische Fragment (Slavisch-Baltisches Seminar der Westfälischen Wilhelms-Universität, Nr. 2, 1959).

4 J. Hofmann, Würzburger Diözesan-Geschichtsblätter 22 (1960) S. 108–120.

5 Hinsichtlich des Alkuin-Anhangs zum gregorianischen Sakramentar vgl. K. Gamber, Codices liturgici latini antiquiores (Spicilegii Friburgensis Subsidia 1, Freiburg/Schweiz 1963) S. 134–142 (mit weiterer Literatur).

6 H. A. Wilson, The Gregorian Sacramentary under Charles the Great (Henry Bredshaw Society, London 1915).

7 Vgl. K. Gamber, Codices liturgici latini antiquiores a.a.O. Nr. 434, 451, 1170, 1175. Auch das oben bereits genannte Wertheimer Fragment dürfte hierher gehören.

8 Zur genannten Handschrift vgl. Gamber a.a.O. Nr. 1005.

9 Man denke an die schimpfliche Behandlung, die Method auf dem Reichstag zu Regensburg erlitten hat.

10 Text außer bei Wilson a.a.O. 180, 179 auch bei L. A. Muratori, Liturgia
Romana Vetus, Vol. II (Venetiis 1748) Nr. L bzw. XLIX col. 179.

11 Formel und Überschrift nicht mehr zu lesen.

12 Nach der lateinischen Übersetzung von Jagić.

Zu: Das Meßbuch Aquilejas im Raum der bairischen Diözesen um 800

1 M. B. De Rubeis, Monumenta Ecclesiae Aquileiensis, Venetiis 1740;
ders., De antiquis Forojuliensium ritibus, Venetiis 1754; weitere Literatur bei K. Gamber, Codices liturgici latini antiquiores (= Spicilegii
Friburgensis Subsidia 1, 2. Aufl.), Freiburg/Schweiz 1968, 287–291. Das
Werk wird im folgenden »CLLA« abgekürzt.

2 Vgl. A. A. King, Liturgies of the Past, London 1959, 1–52.

3 Es sind jedoch in den letzten Jahrzehnten Fragmente von Liturgiebüchern bekanntgeworden, die mit großer Wahrscheinlichkeit aus dem
engeren Gebiet des Patriarchats stammen, so Palimpsestblätter eines
Sakramentars (vgl. CLLA Nr. 201), eines Evangelistars (CLLA
Nr. 261) sowie ein vollständiges Lektionar (CLLA Nr. 265/6). Schon
länger bekannt war ein Capitulare Evangelii; vgl. K. Gamber, Die älteste
abendländische Evangelien-Perikopenliste, vermutlich von Bischof For-
tunatianus von Aquileja, in: Münchener Theol. Zeitschrift 13, 1962, 181–
201; dazu CLLA Nr. 245–247.

4 Gern zitiert wird das Schreiben, das die Bischöfe Istriens und Oberitaliens an den oströmischen Kaiser Mauritius (582–602) gerichtet haben
(MG, Epist. I, 16a); vgl. oben (Einleitung).

5 Vgl. G. C. Menis, La basilica paleocristiana nelle diocesi settentrionali
della metropoli d'Aquileia (= Studi di antichità cristiana XXIV), Roma
1958.

6 Vgl. CLLA Nr. 880, S. 398 mit weiterer Literatur.

7 Liturgiegeschichtliche Quellen und Forschungen, Heft 11/12, München
i. W. 1927, mit Untersuchungen von A. Baumstark.

8 Texte und Arbeiten, Heft 46, Beuron 1956, in Verbindung mit A. Dold.

9 Vgl. CLLA Nr. 725/726 bzw. 810/811.

10 Münchener Theologische Zeitschrift 7, 1956, 281–288.

11 Vgl. A. Dold–K. Gamber, Das Sakramentar von Salzburg (= Texte und
Arbeiten, Beiheft 4), Beuron 1960, 40.

12 Dold–Gamber, Das Sakramentar von Salzburg, a.a.O.; vgl. CLLA Nr.
883.

13 Vgl. K. Gamber, Sakramentarstudien (Regensburg 1978) 169–176.

14 Vgl. A. Chavasse, Le sacramentaire gélasien (= Bibliothèque de théologie, Ser. IV, vol. 1), Paris–Tournai 1958, 526–604; dazu: K. Gamber,

Missa Romensis (= Studia patristica et liturgica 3), Regensburg 1970, 137ff., bes. 141f.

15 Vgl. K. Gamber, Fragmenta Liturgica IV, in: Sacris erudiri 19, 1969/70, Nr. 25.

16 So ist z. B. noch in einigen Hadriana-Handschriften eine solche übereinstimmende Numerierung zu erkennen; vgl. W. H. Frere, The Carolingian Gregorianum: its sections and their numbering, in: The Journal of Theol. Studies 18, 1916, 47–55.

17 Es sind die Veroneser Handschriften CLLA Nr. 725 und 726 und das Fragment CLLA Nr. 812.

18 Vgl. CLLA Nr. 882, S. 399 mit weiterer Literatur.

19 Vgl. W. Neumüller–K. Holter, Der Codex Millenarius, Linz 1959; vgl. den Anhang.

20 Vgl. CLLA Nr. 884–895.

21 Vgl. Gamber, Missa Romensis 107–115.

22 Vgl. CLLA Nr. 630; herausgegeben von A. Dold–L. Eizenhöfer, Das Prager Sakramentar, Bd. I Lichtausgabe, Beuron 1944; Bd. II Prolegomena und Textausgabe (= Texte und Arbeiten, Heft 38/42), Beuron 1949.

23 Vgl. K. Gamber, Das Tassilo-Sakramentar. Das älteste erhaltene Regensburger Meßbuch, in: Münchener Theol. Zeitschrift 12, 1961, 205–209.

24 Es sind dies die Nrr. CLLA 631, 632, 633 und 635; dazu als neues Fragment: K. Gamber, Eine ältere Schwesterhandschrift des Tassilosakramentars in Prag, in: Rev. bénéd. 80, 1970, 156–162.

25 Das Sakramentar von Salzburg als Quelle für das Pragense, in: Studia Patristica VIII (= Texte und Untersuchungen 93), Berlin 1966, 209–213.

26 Vgl. K. Gamber, Eine ältere Schwesterhandschrift, a.a.O., 161.

27 Vgl. R. Bauerreiß, Die »Nota historica«, in: Dold–Eizenhöfer, Das Prager Sakramentar, a.a.O., 17–28.

28 Das frühmittelalterliche Baiern im Lichte der ältesten bairischen Liturgiebücher, in: Deutsche Gaue 54, 1962, 49–62.

29 Vgl. K. Gamber, Die gallikanische Zeno-Messe. Ein Beitrag zum ältesten Ritus von Oberitalien und Baiern, in: Münchener Theol. Zeitschrift 10, 1959, 295–299; ders., Ecclesia Reginensis (Regensburg 1979) 92–99, mit neuen Erkenntnissen.

30 Vgl. B. Bischoff, in: Dold–Eizenhöfer, Das Prager Sakramentar 37.

Zu: Die Regensburger Mission in Böhmen im Lichte der Liturgiebücher

1 Ein umfassender Katalog sämtlicher abendländischer liturgischer Handschriften bis zum 11. Jahrhundert von K. Gamber, Codices liturgici latini antiquiores (= Spicilegii Friburgensis Subsidia, 2. Aufl. Freiburg/ Schweiz 1968), im folgenden »CLLA« abgekürzt. Ein Katalog sämtli-

cher lateinischer Handschriften bis gegen 800 stammt von E. A. Lowe, Codices latini antiquiores, 11 Bände (Oxford 1934 ff.), im folgenden »Lowe, CLA« abgekürzt.

2 Wenig bekannt und benützt ist ein Votivmessen-Libellus in Brescia aus dem Ende des 9. Jahrhunderts (CLLA Nr. 820), der unzählig viele Namen enthält; herausgegeben von A. Valentini, Codice necrologico-liturgico del monastero di S. Salvatore o S. Giulia in Brescia (Brescia 1887). Die Mehrzahl der Eigennamen sind hier germanischen Ursprungs.

3 Aus dieser Frühzeit sind aus Regensburg wie aus keiner anderen Stadt zahlreiche Liturgiebücher erhalten; vgl. K. Gamber, Liturgiebücher der Regensburger Kirche aus der Zeit der Agilolfinger und Karolinger, in: Scriptorium 30 (1976) 3–25.

4 Vgl. P. Mai, Regensburg als Ausgangspunkt der Christianisierung Böhmens, in: Millenium Ecclesiae Pragensis 973–1973 (= Schriftenreihe des Regensburger Osteuropainstituts, Bd. 1, Regensburg 1973) 9–21.

5 Vgl. B. Bischoff, in: A. Dold–L. Eizenhöfer, Das Prager Sakramentar (= Texte und Arbeiten Heft 38–42, Beuron 1949) 37 mit Fußnote 5; Lowe, CLA X, Nr. 1565.

6 Vgl. A. Dold–L. Eizenhöfer, Das Prager Sakramentar, Bd. I. Lichtbildausgabe (Beuron 1944); Bd. II. Prolegomena und Textausgabe (= Texte und Arbeiten Heft 38–42, Beuron 1949); weitere Literatur in CLLA Nr. 630; Lowe, CLA X, Nr. 1563.

7 Vgl. R. Bauerreiß, Die »Note historica« auf fol. 83b, in: A. Dold–L. Eizenhöfer, Das Prager Sakramentar, Bd. II (1949) 17–28.

8 Vgl. K. Gamber, Das Tassilo-Sakramentar. Das älteste erhaltene Regensburger Meßbuch, in: Münchener Theol. Zeitschrift 12 (1961) 205–209.

9 Vgl. R. Bauerreiß, Das Kloster Isen als Kultstätte, für die das (Prager) Sakramentar geschrieben wurde, in: A. Dold–L. Eizenhöfer, Das Prager Sakramentar, Bd. II (1949) 37–43.

10 Vgl. B. Bischoff, in: Karl der Große, Bd. II. Das geistige Leben (Düsseldorf 1965) 246; vgl. jedoch neuerdings in: Die südostdeutschen Schreibschulen II (Wiesbaden 1980) 259.

11 Vgl. K. Gamber, Ecclesia Reginensis (Regensburg 1979) 92–99.

12 Hrsg. von K. Gamber, Ein Regensburger Kalendarfragment aus der Zeit Herzogs Tassilo II., in: StMBO 80 (1969) 222–224; Lowe, CLA Suppl. Nr. 1805.

13 Vgl. Die Kunstdenkmäler der Oberpfalz, Bd. XXII, 1 S. 308, 317.

14 Vgl. K. Gamber, Das Kassian- und Zeno-Patrozinium in Regensburg. Ein Beitrag zu den Beziehungen zwischen Baiern und Oberitalien im Frühmittelalter, in: Deutsche Gaue 49 (1957) 17–28; ders., Zur mittelalterlichen Geschichte Regensburgs und der Oberpfalz (Kallmünz 1968) 20–28.

15 Vielleicht stammen noch weitere Handschriften aus dieser herzoglichen, später königlichen Schreibschule; vgl. K. Gamber, Bairische Evangeliare

aus der Zeit Karls des Großen. Gab es um 800 in Regensburg ein königliches Skriptorium?, in: Münchener Theol. Zeitschrift 21 (1970) 138–141.

16 Interessant ist in diesem Zusammenhang, wenn Paulus Diaconus in seiner Langobardengeschichte (IV, 21) berichtet, die aus Regensburg stammende Theodolinde habe in Monza dem heiligen Johannes d. T., »patrono suo«, eine Kirche gebaut. Dies könnte in Erinnerung an die Johanneskirche in der herzoglichen Pfalz geschehen sein; vgl. K. Gamber, Das frühmittelalterliche Baiern im Lichte der ältesten bairischen Liturgiebücher, in: Deutsche Gaue 54 (1962) 49–62, bes. 55.

17 Vgl. A. Dold, Die Fehlerhaftigkeit unserer Handschrift und ihre Ursachen, in: A. Dold–L. Eizenhöfer, Das Prager Sakramentar, Bd. II (1949) 79–90.

18 Vgl. CLLA 299–311.

19 Vgl. K. Gamber, Das Sakramentar des Bischofs Arbeo von Freising, in: Münchener Theol. Zeitschrift 9 (1958) 46–54; ders., Eine ältere Schwesterhandschrift des Tassilo-Sakramentars in Prag, in: Revue bénédictine 80 (1970) 156–162; Lowe, CLA IX, Nr. 1326 und Nr. 1344.

20 Vgl. K. Gamber, Wege zum Urgregorianum. Erörterung der Grundfragen und Rekonstruktionsversuch des Sakramentars Gregors d. Gr. vom Jahre 592 (= Texte und Arbeiten Heft 46, Beuron 1956).

21 Vgl. K. Gamber, Sacramentaria Praehadriana. Neue Zeugnisse der süddeutschen Überlieferung des vorhadrianischen Sacramentarium Gregorianum im 8./9. Jahrhundert, in: Scriptorium 27 (1973) 3–15.

22 Vgl. Fr. Unterkircher, Die Glossen des Psalters von Mondsee (vor 788) (= Spicilegium Friburgense 20, Freiburg/Schweiz 1974) 31: »Es wurde die Vermutung ausgesprochen, daß der Psalter zugleich mit anderen Gegenständen aus dem Besitz Tassilos beschlagnahmt wurde und so in den Besitz eines Mitglieds der karolingischen Königsfamilie kam. Es ist aber auch nicht ausgeschlossen, daß er zwar in der Familie Tassilos bleiben durfte, aber vorher ›korrigiert‹ werden mußte«. Im Gegensatz zu Fr. Unterkircher bin ich der Ansicht, daß die Handschrift in der herzoglichen Schreibschule in Regensburg und nicht, wie vielfach angenommen, im Kloster Mondsee entstanden ist. Dafür sprechen Beziehungen in der Schrift und in den Initialen zum Prager Sakramentar. Eine eingehende Untersuchung steht noch aus.

Zu Anhang: Stammt der Codex Millenarius in Kremsmünster aus der Pfalzkapelle des Herzogs Tassilo III.?

1 Vgl. P. Stollenmayer, Der Tassilokelch (Kremsmünster 1949).

2 Vgl. P. Stollenmayer, Tassilo-Leuchter, Tassilo-Zepter (Kremsmünster 1959).

3 Vgl. W. Neumüller–K. Holter, Der Codex Millenarius (Graz–Köln

1959); dies., Codex Millenarius. Vollständige Facsimile-Ausgabe (Graz 1974).

4 Vgl. W. Neumüller, Der Codex Millenarius und sein historischer Umkreis (Kremsmünster 1960); ders., Der Text des Codex Millenarius (Kremsmünster 1957).

5 Vgl. Fr. Unterkircher, Die Glossen des Psalters von Mondsee (= Spicilegium Friburgense 20, Freiburg/Schweiz 1974); B. Bischoff, Schreibschulen II 16–20.

6 Vgl. K. Gamber, Fragmentblätter eines Regensburger Evangeliars aus dem Ende des 8. Jh., in: Scriptorium 34 (1980) 72–77.

7 Vorläufig: K. Gamber, Ecclesia Reginensis (1979) 45–48.

8 Vgl. A. Dold–L. Eizenhöfer, Das Prager Sakramentar (= Texte und Arbeiten 38–42, Beuron 1949) 17–28.